湖北旧影

中国第二历史档案馆 编

湖 北 教 育 出 版 社

目录

湖北旧影

风云际会　江汉走龙蛇

在风雷激荡的近代中国，内地的无论那一个省份，都没有湖北这里具有革命活力，几乎每次变革，他都走在前头，处于历史的旋涡中心：武昌城头的枪声，震撼了清廷，将数千年封建统治从此拔除。北伐军在贺胜桥、汀泗桥的胜利，宣告了北洋军阀行将灭亡，收回英租界，东征北伐，掀起了民族、民主革命的波澜。八七会议，确定了武装反抗国民党进攻的路线。黄安的红旗，麻城的锣，掀起工农武装革命的风暴。1946年6月26日，国民党公然违反全国人民抗战胜利后求和平、盼安宁的意愿，在宣化店地区掀起了内战。1947年秋,刘邓大军挺进大别山，湖北人民迎来了解放的曙光。1949年5月，人民解放军渡江的炮声，宣告了湖北新的历史时期的到来。

1. 武昌起义

1911年10月10日，武昌起义，打响了推翻清朝封建统治的第一枪。在中国近代史上，湖北第一次成为中国革命的热点，一度成为辛亥革命的中心。

武昌形胜，居天下之中，饷丰械足，交通便利。在孙中山的领导下，湖北革命志士为推翻封建专制制度，早就在武汉开展了不屈不挠的斗争。科学补习所被封之后，相继以日知会、军队同盟会、群治学社、振武学社等组织形式，坚持革命斗争。1908年春，共进会也在武汉建立组织，发展会员，与群治学社等发生密切联系。在文学社和共进会的长期组织发动下，革命力量日渐成熟，革命同志热情亦达沸点。这时，湖北革命志士都感到只有充实武装力量，革命才能成功。于是各革命组织首先从新军中的士兵入手，革命党人纷纷加入军队作宣传工作。1911年夏秋间，四川保路运动达于高潮，文学社和共进会在同盟会支部的帮助下，决定乘四川保路运动的机会发动起义。10月10晚，湖北新军工程第八营的革命党人发动起义，当晚占领武昌城，次日成立湖北军政府。武昌起义，为天下倡，各省纷纷响应。两个月内，先后有鄂、湘、陕、晋、滇、赣、黔、苏、桂、皖、闽、粤、鲁、川等各省宣布独立，各地群众的自发斗争汇成了资产阶级民主革命的高潮。

❶ 武昌起义的基础——新军

张之洞任湖广总督时，在湖北编练新军，以命题考试以定去取。时因废科举，青年出路困难，乃入伍当兵，多数倾向革命救国。革命党人也多加入其中，在新军中组织“军队同盟会”，嗣改名“群治学社”，再改名“振武学社”，最后改名为“文学社”。1911年6月，新军士兵入社者达几千人。武昌起义即以此为基础，图为正在操练中的湖北新军。

❷ 科学补习所创立人朱子龙

朱子龙(1876—1907)，字松坪，湖北荆门人。1903年投新军。1904年到武昌创立科学补习所，被查封后转入日知会。1905年赴日本加入同盟会。1906年回国联络新军起义。1907年1月7日事泄被捕。5月病死狱中。

❸ 科学补习所负责人之一刘静庵

刘静庵(1875—1911)，原名贞一，字静庵，道号保罗，湖北潜江人。少随父读诗书，稍长入武昌基督教圣公堂为信徒，后入湖北新军为书记官。1904年入科学补习所。次年任美国教会圣公会司理，后加入中国同盟会。1906年，在萍醴浏举义时因叛徒告密被捕入狱。1911年5月16日瘐死狱中。

❶

❷

❸

❹

❶ **同盟会湖北分会会长余诚**

余诚(1884—1909)，湖北麻城人。1904年加入科学补习所。1905年在日本加入同盟会。同年回武汉，任同盟会湖北分会会长。1907年为避捕再赴日本。任《河南杂志》主笔，宣传革命。

❷ **同盟会湖北分会参议部长蔡济民**

蔡济民(1887—1919)，湖北黄陂人。早年入新军，曾参加群治学社、共进会、文学社、同盟会等革命组织，并任同盟会湖北分会参议部长。他力促文学社、共进会联合，在新军中运动起义。1911年10月10日率29标呼应工程营进行首义。曾任武汉民军经理部副部长。后主持湖北反袁。历任湖北讨袁军司令长官、鄂军总司令。

❸ **湖北军队同盟会发起人之一钟畸**

钟畸(1879—1919)，湖南湘乡人。1905年入湖北新军当兵，参加革命党后在新军中发展组织。1908年7月在武昌洪山秘密建立军中同盟会，后参加振武学社。1911年参加武昌起义。1919年在护国战争中牺牲。

❹ **群治学社社长黄申芗**

黄申芗(1884—1941)，湖北大冶人。1906年投新军当兵，不久考入陆军小学，参加反清组织日知会.1908年参与组织军队同盟会。同年加入共进会。同年12月，军队同盟会改为群治学社，任社长。联络京山、大冶会党首领起事未果。武昌起义后任协统,参加阳（汉阳）夏（汉口）之战。民国建立后参加讨袁、护法等革命斗争。1927年蒋介石叛变革命后隐居庐山。1932年参加中国共产党。抗战初期在上海救助抗日将士。1941年病逝。

❺ **“输入东西之学论，唤起国民之精神”的《湖北学生界》**

《湖北学生界》于1903年1月在日本东京创刊，由湖北留日学生刘成禺、李书城创办。该刊以宣传民族独立，抨击君主专制，鼓吹民族主义为主要任务，为民族革命之先声。

❻ **革命党设在武昌的秘密机关**

1911年9月24日，文学社与共进会在武昌胭脂巷11号召开联席会议，决定举行起义。

5

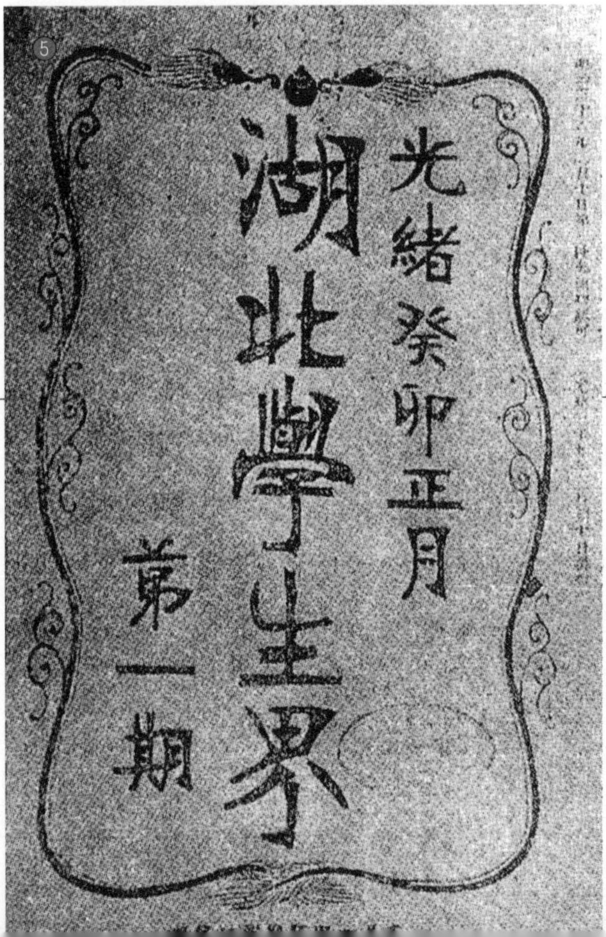

6

湖北旧影

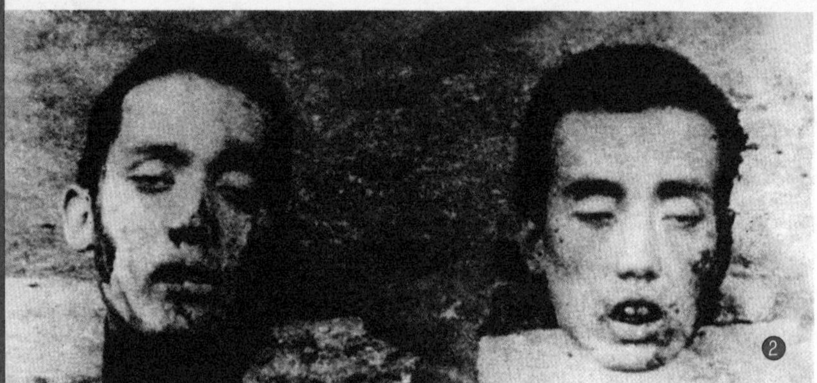

❶ 四川保路运动起，湖北新军奉调入川

1911年春，清廷宣布将商办的川汉、粤汉铁路收归国有，欲将路权卖给英法等列强。此举激起川鄂湘粤等省人民的强烈反对。四川同盟会趁机掀起保路运动。湖北人民提出了“路存与存，路亡与亡”的口号。为镇压四川的保路运动，清廷命令督办粤汉、川汉铁路大臣端方向湖北借调新军一协（旅）前往四川平乱。图为端方（前座者）率军出发赴川前在汉口与送行者合影。

❷ 烈士头颅血，革命十八星旗

由于新军开赴四川，新军中的革命同志不得不离开湖北，领导人唯恐革命力量分散，乃积极筹备起义。10月9日上午，孙武在汉口配装炸弹失慎受伤，事泄。当日下午，大队警兵突然包围武昌小朝街的总指挥部，捕获刘复基、彭楚藩、杨宏胜等多人，以上三人于10月10日就义于湖广督署门外。图为刘复基（右）、彭楚藩二烈士的头颅。

❸ 就义前的杨宏胜烈士

❹ **杨宏胜开设的杂货店，当时被用作革命的联络点**
杂货店位于武昌中和门（辛亥革命后改名起义门）正街。武昌起义前夕，杨在店内装配炸弹，不慎因爆炸而被捕。

❺ **武昌起义时的秘密机关之一**
共进会在武昌开设的同兴酒楼。

① 武昌起义时的秘密机关之二

② 民军占领下的湖广总督衙门

湖广总督衙门位于武昌，民军经过勇猛攻击，终于将其占领。从照片上的残迹可以想见当时作战之激烈。

③ 民军攻占后之武昌统制衙门

经过激战，民军攻占统制衙门。

4 辛亥革命爆发后，弃城而逃的湖广总督瑞澂

5 弃城而逃的清新军第八镇统制张彪

6 民军占领下的汉阳门

民军占领武昌，对汉阳门进出的人进行盘问检查。从墙上贴出的标语看，武昌洋溢着一派革命气息。

❶ 黄兴于武昌起义后与革命同志合影

黄兴于10月28日到达武昌。29日渡江上汉口前线，亲率敢死队作战。

❷ 湖北军政府公署

武昌起义爆发的翌日，在武昌阅马场的湖北咨议局旧址成立了“中华民国军政府鄂军都督府”，推原清军协统黎元洪为都督。军政府下设军令、参谋、军务、内务、外交、理财、交通、司法、编制九部。军政府领导了阳夏之战、保卫武昌和部署北伐等军事行动。辛亥革命失败后，湖北军政府成为黎元洪统治湖北、镇压革命争权夺利的工具。

③ 中华民国政府鄂军大都督兼总司令黎元洪

黎元洪，湖北黄陂人。武昌起义时任清军暂编第二十一混成协（旅）统领。起义成功后，革命党人因其为湖北籍将领，许多人出自他的部下，强推其担任中华民国政府鄂军大都督兼总司令。

④ 湖北军政府军务部部长孙武

孙武，武汉人。日本成城学校陆科毕业。曾充清军哨长、湖南新军教练。1908年组织共进会，1909年加入同盟会。1910年6月回鄂。1911年被武汉共进会、文学社等推为主席。10月9日，在俄租界试验炸弹时不慎负伤，入医院就医。武昌起义后任湖北军政府军务部部长。

3

4

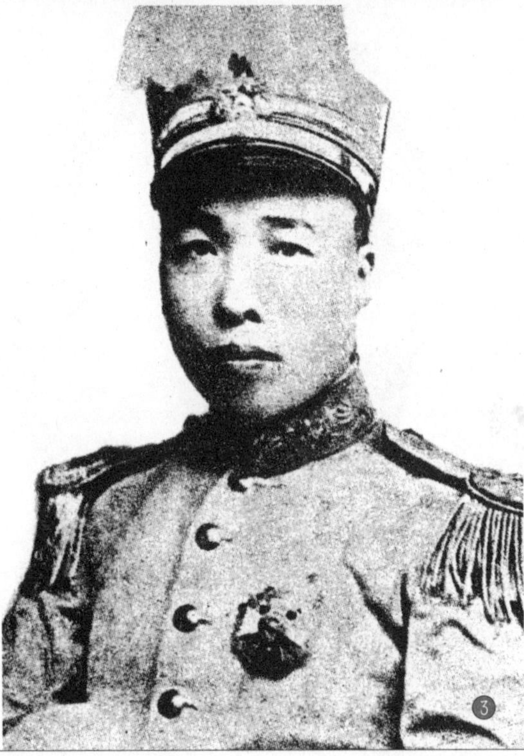

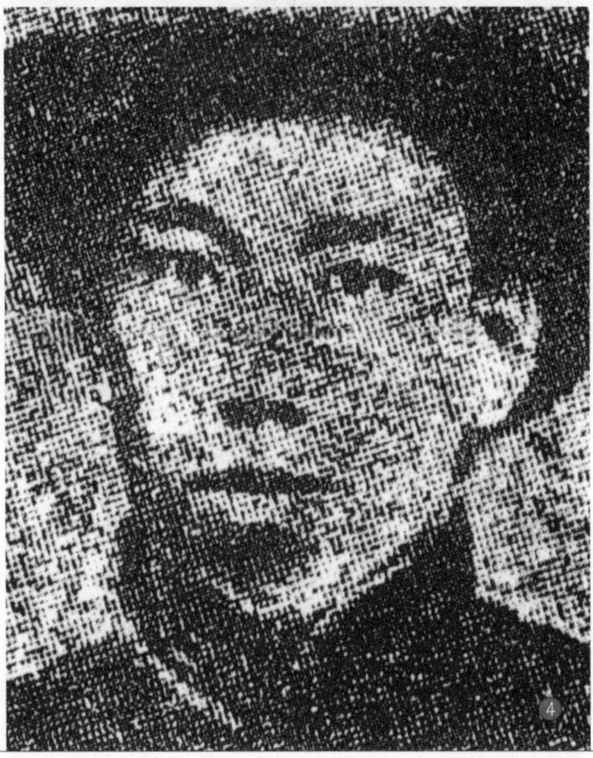

❶ 湖北军政府军务部副部长、代理民军战时总司令蒋翊武

蒋翊武，湖南澧县人。1909年投湖北新军当兵，1910年主持振武社，1911年元旦发起组织文学社，任社长。保路运动兴起后，被革命党举为总指挥。起义后任湖北军政府顾问、军务部副部长。

❷ 资助革命、曾任湖北军政府总监察的刘公

刘公，湖北襄阳人。1905年在日本加入同盟会，次年参加了萍醴浏起义。1907年参与组织共进会，被选为总理。1911年6月回武昌为革命筹集资金。武昌起义后，任湖北军政府总监察，旋任北伐左军总司令，驻襄阳。

③ 湖北副都督、共进会成员刘英

刘英(1886—1921)，湖北京山人。1904年赴日本留学，1906年加入同盟会，1907年与留日的湘赣蜀省同学组织共进会。返国后设机关于汉口，1911年参与首义策划。武昌起义后在乡响应，占领了京山、天门、潜江等地，后任军政府湖北副都督。民国建立后追随孙中山进行反袁革命活动，曾任湖北靖国第二梯团司令。后回籍进行反对北洋军阀的活动，1921年8月4日被害。

④ 汉口军政分府主任詹大悲

詹大悲(1887—1927)，湖北蕲春人。先后就读于黄州府中学、武昌地方自治研究所，后在汉口主办《商务报》、《大江白话报》，宣传革命，并参加群治学社。1911年8月被捕，武昌起义后出狱，任汉口军政分府主任。民国建立后进行反袁革命活动，曾任广州革命政府参事，国民党二届候补中央执行委员。1927年3月任湖北省政府财政厅长、武汉市政委员会委员等。同年12月17日被国民党反动派杀害。

⑤ 清内阁大臣袁世凯

武昌首义成功后，清政府大为震惊。在无人可派的情况下，只得将原来不信任的袁世凯请出，令其率军前往镇压。

⑥ 前往湖北指挥镇压辛亥革命的清政府陆军大臣荫昌

⑤

⑥

湖北旧影

❶ 率部前往湖北镇压辛亥革命的清军第一军总统冯国璋

❷ 率部前往湖北镇压辛亥革命的清军第二军总统段祺瑞

③ 汉口清军之马队

为防民军进攻，汉口清军马队在巡逻。

④ 增援汉口的清军炮队

❶ 汉口清军之炮军

清军炮军向民军阵地瞄准，准备射击。

❷ 射击中的清军炮队

汉口清军炮队向民军射击。

❸ 准备出发的武昌民军

武昌首义成功后，为扩大战果，革命党人积极组织民军，准备向一江之隔的汉口、汉阳进军。

④ 武昌民军准备出击

⑤ 武昌民军渡江到汉口
武昌光复，民军乘船过江赶往汉口，迎击清军。

❶ 积极备战的民军
汉口民军经由铁道，将炮推向前方作战。

❷ 民军炮火迎敌
汉口民军在铁道旁置炮迎敌。

❸ 民军踞壕抵抗清军
汉口民军在战壕内向清军开火。

❹ 民军在战壕内迎敌
汉口民军埋伏在战壕内迎击来犯清军。

4

❶ 民军炮队阵地

❷ 民军炮队向清军射击

③ 汉口民军架枪小憩
备战中的汉口民军在架枪休整，准备再战。

④ 汉口民军保卫铁道
民军占领汉口后，为防清军破坏，在铁道上巡逻。

❶ 战火中的汉口

汉口民军与清军交战，炮弹炸毁民房起火，硝烟弥漫。

❷ 汉口民军巡行租界

民军为防清军破坏，在租界巡逻，保卫租界。

③ 汉口华界被焚惨况

汉口华界被清军焚后，断壁残墙，满目凄凉。

④ 从武昌看汉口

民军与清军在汉口交战，汉口笼罩在战火中。

1 孙中山与黎元洪

1912年4月1日，孙中山正式解除临时大总统职务。同月，孙中山由上海抵武汉考察。在汉期间，孙中山与湖北军政各界广泛交流，宣传革命主张。

2 血沃中原肥劲草

汉口民军为了巩固起义成果，不怕牺牲，死于战场者不知凡几，壮哉！

3 辛亥三烈士纪念亭

中华民国建立之后，湖北革命同志在刘复基、彭楚藩、杨宏胜三烈士就义处建立的纪念亭。

❶ 武昌首义周年祭

1912年10月10 日，各省代表聚集武昌烈士祠前，追悼首义烈士。

❷ "双十"定为国庆节

1912年10月10日，北京政府为纪念1911年10月10日的武昌起义，遂定该日为国庆节，北京的国民党人及革命同志集会，隆重庆祝中华民国第一个国庆节（双十节）。图为庆祝会后的合影。

2

2. 大革命风云

自1926年8月25日，北伐军对汀泗桥攻坚战开始，湖北再次成为中国革命的热点，成为大革命风暴的中心之一。北伐军克复武汉三镇，宣告了直系军阀的灭亡。国民政府迁都武汉，表明了湖北成为大革命的中心。在中国共产党和人民群众的大力支持下,东征讨蒋、继续北伐，表现了武汉国民政府的活力。1927年7月15日，轰轰烈烈的大革命失败了，但中国共产党和湖北人民为大革命所作的巨大贡献却永存青史。

❶ 支援北伐战争的湖北民众

国民革命军北伐到湖北，百姓箪食壶浆相迎，挑担支前相随，实为北伐军的有力后盾。

❷ 北伐军在汀泗桥战役中缴获的武器

1926年8月24日，北伐军抵达湘鄂交界的汀泗桥，该桥扼粤汉铁路，易守难攻，吴佩孚在此集重兵把守，并派手持大刀的督战队督战，吴在前线亲自指挥，北伐军连续冲锋10余次，未能攻克。8月27日第四军叶挺独立团在农民的带领下，穿过高山小路绕到敌后，出敌不意发起攻击，敌兵阵脚大乱，北伐军趁机攻下汀泗桥。该战是北伐军的一个硬仗，也是一个胜仗，为最后的胜利进军奠定了基础。

❶ **湖北民众在观看北伐军政治部的宣传壁报**

国民革命军各级政治部在宣传、组织民众方面做了大量工作。图为民众在观看北伐军政治部的宣传壁报。

❷ **北伐军中的女宣传队员**

在北伐战争中，不少女青年从戎，不让须眉，参与作战宣传鼓动。

❸ **武昌前线三指挥**

1926年9月初，国民革命军开始武昌攻城战。图为三指挥在前线合影。右起邓演达、苏联顾问铁罗珍、张发奎。

③

❶ 国民革命军进入汉口

1926年9月6日，汉阳守军刘佐龙起义献城，北伐军将其占领。次日，北伐军渡过汉水，攻占汉口。武汉三镇唯武昌为敌占领。

❷ 开挖战壕，准备攻武昌

北伐军挥汗开挖战壕，为攻城作准备。

❸ 北伐军准备攻打武昌城

攻打武昌的司令部设在洪山寺内，地上放的是攻城云梯。

④ 邓演达与苏联顾问在武昌城下

❶ 女子救护队在武昌前线

女子救护队在攻打武昌前线参加救护。

❷ 刘玉春被俘虏

10月10日，武昌城被北伐军攻下，守城将领刘玉春（穿长袍者）被活捉。

❸ 武汉军民联欢大会

1926年10月10日武昌守敌投降，武汉三镇光复，武汉军民举行联欢大会庆贺。

❹ 广州国民政府欢送邓演达等由粤赴汉

随着北伐军的胜利进军，特别是湖北革命形势的发展，1926年11月8日，广州国民党中央政治会议决定将国民政府及中央党部迁往武汉。此后，在广州的国民党中央要员离粤赴汉。图为广州国民政府欢送邓演达、张发奎、铁罗珍三人赴汉合影。照片中一为邓演达、二为张发奎、三为李济深；六为廖梦醒。

❶ 国民政府要员由粤来汉途中合影

中立者为苏联顾问鲍罗廷，其左为外交部长陈友仁、交通部长孙科；其右为财政部长宋子文、司法部长徐谦。

❷ 国民政府委员到汉情景

1926年12月，广州国民政府委员陆续到达武汉，武汉人民集会欢迎。

③ 宋庆龄（中）与妇女代表在汉口阅兵台上

1926年11月，北伐军攻克武汉，国民党中央政治会议决定迁都武汉。宋庆龄等11人先期到达武汉筹备迁都事宜。12月，国民党左派与共产党人共14人，组成“中国国民党中央执行委员及国民政府委员临时联席会议”，作为迁都前的临时党政最高权力机构。1927年元旦，联席会议的组成人员在武汉举行了阅兵式。图为宋庆龄等在阅兵式上。

④ 武汉国民政府临时办公地址

1927年1月1日中国国民党中央执行委员暨国民政府临时联席会议宣布自即日起正式在武汉办公，标志着国民政府已迁来武汉。

❶ 武汉各界民众集会庆祝国民政府从广州迁都武汉

1927年1月，武汉各界民众集会，欢庆北伐胜利和国民政府从广州迁都武汉。图为大会会场场面。

❷ 武汉妇女政治训练班师生合影

为培养妇女干部，武汉国民政府于1927年2月开办了妇女训练班，聘请著名共产党人恽代英、张太雷任教员。图为1927年2月12日训练班开学典礼合影。前排左五为恽代英、左八为宋庆龄、左十二为张太雷、右五为董必武。

剷除封建勢力

❶ 湖北省第一次农民代表大会在武昌召开

1927年3月4日，湖北省第一次农民代表大会在武昌召开，大会通过并公布了《湖北省惩治土豪劣绅暂行条例》。图为大会会场。

❷ 中央农民运动讲习所

1927年3月，为培养农民运动干部，国民党中央农民运动委员会在武昌创办了中央农民运动讲习所，由邓演达、毛泽东、陈克文具体负责。仅办一期，招收学员八百余名。学员毕业后，大多回到所在省县担任农民协会特派员，有力地推动了两湖地区的农民运动。

❸ 参与创办武昌中央农民运动讲习所的毛泽东

❹ 农民大会中之舞龙

湖北人民像过节一样载歌载舞庆祝全省农民协会的召开。

④

① 国民党二届三中全会代表合影

1927年3月10日，国民党二届三中全会在汉口南洋大楼开幕，出席会议者共33人。会议通过了《统一党的领导机关决议案》、《军事委员会组织大纲》、《撤消中央军人部案》等20项决议案、3份宣言和训令。图为出席会议的代表们合影。前排左起：丁惟汾、顾孟余、徐谦、谭延闿、孙科、宋庆龄、宋子文、陈友仁、经亨颐、吴玉章。中排左起：江浩、董必武、丁超五、邓懋修、陈其瑗、于树德、彭泽民、毛泽东、林伯渠、朱霁青。后排左起：周启刚、王乐平、王法勤、夏曦、詹大悲、陈公博、恽代英、邓演达、许苏魂、谢晋。

② 武汉国民政府誓师北伐

1927年4月19日，武汉国民政府在武昌东湖举行第二次北伐誓师大会。21日，北伐军开始沿京汉路向河南进军。图为大会誓师台。

③ 在汉口国民党中央委员联名讨蒋

1927年4月12日,蒋介石在上海发动反革命政变，大肆屠杀共产党人和革命群众。4月12日在汉口国民党中央委员宋庆龄等，在汉口民国日报上发表宣言，声讨蒋介石。

②

中央委員聯名討蔣

▲國民政府軍事委員會各委員均全體署名

③

3. 鄂东、鄂西展红旗

1927年4月12日，蒋介石在上海发动了反革命政变，以汪精卫为首的武汉国民政府屈服于帝国主义和国内反革命势力的压力，逐渐向右转。5月8日，武汉国民政府通告武汉工农团体，不准集会和示威游行，逮捕工会和农会的领导人。不久，又下令解散黄冈和黄陂的县农民协会。与此同时，又发生了夏斗寅等反革命叛乱。汪精卫等经过酝酿和准备，终于在7月15日露出了反革命嘴脸，提出了“宁可枉杀千人，不可使一人漏网”的口号，对共产党人和湖北工农群众血腥屠杀。但共产党人和湖北的革命群众在敌人的屠刀下并没有屈服，在中国共产党的领导下，鄂东、鄂西到处都燃起了武装反抗国民党血腥统治的烈火，麻城的红旗、黄安的锣、洪湖的红缨映山河，湖北的历史掀开了新的篇章。

❶ "八七"会议旧址——汉口市鄱阳路139号外景

1927年8月7日，中共中央在汉口秘密召开紧急会议，出席会议的有李维汉、瞿秋白、张太雷、邓中夏、任弼时、顾顺章、蔡和森、毛泽东、陆定一、王一飞等21人。会议总结了大革命失败的经验教训，彻底结束了陈独秀的右倾投降主义在中共中央的统治，确定了土地革命和武装反抗国民党反动统治的方针，号召发动湘、鄂、赣、粤四省农民举行秋收起义。会议选举产生了中共临时中央政治局。图片摄于20年代。

❷ 主持"八七"会议的瞿秋白

"八七"会议由瞿秋白主持。会议选举了由瞿秋白为首的中央政治局。

① 黄麻起义的领导人之一戴克敏

1927年中国共产党在黄安（今红安）、麻城一带发动了武装起义。戴克敏为其领导人之一。以后他任中国工农红军鄂东军和第七军党代表，曾率部到黄陂木兰山开展游击战争，1928年返回黄麻地区，开展游击战争。同年7月，任中国工农红军第十一军第三十一师党代表。1930年后历任红一军第一师、红四军第十师第二十八团和红四方面军第二十五军第七十五师政委。1932年夏在河南新集（今新县）牺牲。

② 红旗卷起农奴戟

黄麻起义时农民赤卫队使用的武器。

③ 黄麻起义的旗帜

旗帜就是标识，旗帜就是方向，这面旗帜指明了湖北人民的方向、指明了湖北的未来。

④ 湖北革命的星星之火点燃处——黄安七里坪

1931年11月7日，中国工农红军第四军在这里宣布成立。

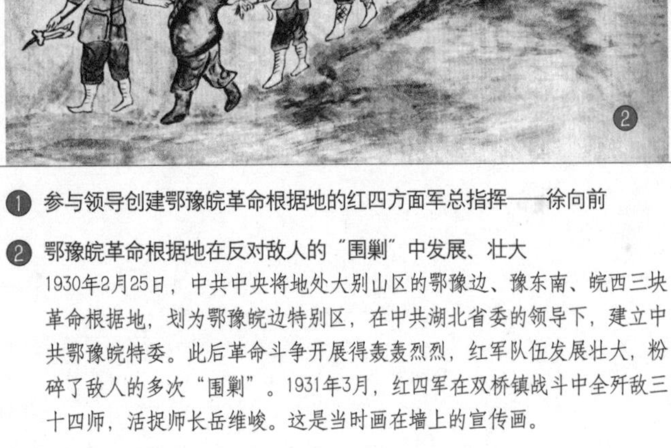

❶ 参与领导创建鄂豫皖革命根据地的红四方面军总指挥——徐向前

❷ 鄂豫皖革命根据地在反对敌人的"围剿"中发展、壮大

1930年2月25日，中共中央将地处大别山区的鄂豫边、豫东南、皖西三块革命根据地，划为鄂豫皖边特别区，在中共湖北省委的领导下，建立中共鄂豫皖特委。此后革命斗争开展得轰轰烈烈，红军队伍发展壮大，粉碎了敌人的多次"围剿"。1931年3月，红四军在双桥镇战斗中全歼敌三十四师，活捉师长岳维峻。这是当时画在墙上的宣传画。

③ 湘鄂西革命根据地的中心——洪湖县瞿家湾
1927年南昌起义失败后，党中央派贺龙、周逸群等到湘鄂西，和当地坚持革命斗争的贺锦斋、段德昌等一起领导开展游击战争。1928年秋，成立了红四军，开辟了湘鄂边根据地。1930年春，沔阳、监利、江陵、潜江、华容、石首等地的游击队组成红六军，开辟了洪湖根据地。同年7月，红四军（后改为红二军）和红六军在公安会师，组成红二军团，开辟湘鄂西革命根据地。

④ 湘鄂西革命根据地的创始人之一 ——贺龙

⑤ 湘鄂西革命根据地的创始人之一 ——周逸群

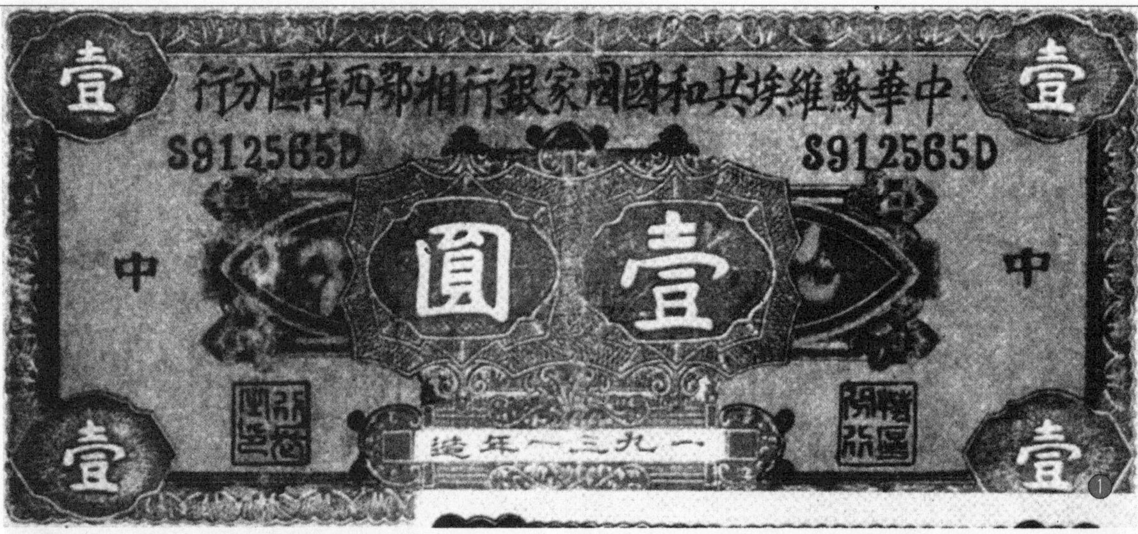

① 中华苏维埃共和国国家银行湘鄂西特区分行1931年发行的壹圆纸币

② 中华苏维埃共和国国家银行湘鄂西特区分行1931年发行的两角纸币

③ 中华苏维埃共和国国家银行湘鄂西特区分行1931年发行的壹角纸币

④ 中华苏维埃共和国国家银行湘鄂西特区分行1931年发行的纸币的背面。上面印有共产党人的口号：全世界无产阶级联合起来

⑤ 鄂豫皖三省“剿匪”总司令部在武汉成立

湖北革命的星火已成燎原之势，国民党政府十分恐慌。1932年6月，蒋介石在武汉成立鄂豫皖三省“剿匪”总司令部，并亲自任总司令。1934年2月，任命张学良为副总司令。图为1934年3月1日张学良在武汉就任鄂豫皖三省“剿匪”总司令部副总司令时的合影。

⑥ 国民党军队在汉口登船

武汉优越的交通被蒋介石利用，1929年后，武汉成为仅次于南京的政治、军事中心。图为1931年进剿洪湖苏区的国民党军队在汉口登船。

❶ 鄂豫皖交界处的咸勇碉堡

1933年，国民党在对湘赣、鄂豫皖红军进行多次“围剿”失败后，采用德国顾问提供的“层层碉堡，逐步推进”的办法，在赣粤闽湘鄂豫陕等省构筑大批碉堡，封锁和围攻红军，截断红军与人民群众的联系。该碉堡设于山顶，由中心碉堡和围墙构成。

❷ 鄂豫皖交界处的咸康碉堡

该碉堡设于山顶，为方型，内可储兵一连。

③ 鄂豫皖交界处的咸仁碉堡
该碉堡设于便于侦察的高坡上，由中心碉堡和子碉组成。

④ 国民党军队在罗田修筑的碉堡

4. 江汉涌春潮　湖北人民迎解放

1946年6月26日，国民党反动派违背全国人民求和平、盼安定的意愿，悍然向宣化店地区的人民解放军发起进攻，揭开了全面内战的序幕。在中国共产党的正确领导和湖北人民的大力支援下，中原解放军胜利突围。1947年6月，刘邓大军千里跃进大别山，开始了战略反攻。经过两年多的浴血奋战，人民解放军终于歼灭了屯集华中的国民党主力部队，解放了湖北全境，湖北人民迎来当家作主的新时代。

❶ **蒋介石挑起全面内战，中原解放军胜利突围**

1946年6月26日拂晓，国民党30万人，向中原解放区的中心地区——豫鄂边宣化店大举进攻，开始了全面内战。中原军区根据中共中央的指示，分两路向西突围，一部兵力向东吸引敌人，并留一部就地开展游击战争。7月底，中原解放军胜利完成了战略转移任务。图为胜利突围到达延安的第三五九旅。

❷ **指挥突围的中原军区司令员李先念**

湖北旧影

❶ 人民解放军千里跃进大别山

1947年6月，党中央、毛主席根据解放战争的进程，果断地将战略防御转向战略进攻，刘邓大军在取得鲁西南战役胜利之后，越过陇海路，千里跃进鄂豫皖交界的大别山，像钢刀插入国民党统治的中心——南京、武汉的中间地带。湖北人民像当年支援红军一样欢迎解放军，同时迎来了湖北解放的曙光。

❷ 邓小平作报告

邓小平政委在大别山召开的干部大会上，作目前形势和挺进大别山的报告。

③ 挺进大别山的刘伯承司令员

❶ 黄安解放

1947年9月3日，解放军解放了黄安县城。

❷ 向英山开进

1947年9月，挺进大别山的解放军一部向英山挺进。

❸ 解放军开进罗田县

人人有田種

❶ **解放军向襄樊进发**

1948年7月2日到16日，中原野战军一部，为牵制白崇禧部主力，发起襄樊战役，歼敌2万1千人，控制了汉水中段地区，解放了鄂西北地区。图为解放军一部渡过汉水，向襄（阳）樊进发。

❷ **解放军攻进襄阳城**

解放军某突击队只用五分钟，就攻上了襄阳城。

❸ **解放军占领襄阳县政府**

❹ **打过长江去**

解放军某部从汉口码头登船，准备渡江。

❺ **解放军登船渡江**

1949年5月15日，解放军在鄂东的团风、武穴地区登船渡江。

4

5

1

2

① **解放军登船渡江**

第四野战军一部在黄冈渡口登船渡江。

② **工友冒酷暑，支援解放军**

汉口工人们组织起来，帮助解放军修理渡江船只。

③ **江汉关前庆解放**

江汉关，这座屹立在长江边上的大楼，是历史的见证。近代海关几乎是由外国列强的代表把持。今天才真正回到人民的手中。

④ **湖北掀开了历史新的一页**

从武昌首义的枪声，到武汉三镇的解放，38年奋斗，38年流血，湖北人民终于迎来了解放，迎来了人民共和国的阳光，迎来了人民翻身作主的日子。

③

④

物华天宝 荆楚留胜迹

湖北为楚文化的发祥地。自古以来成为骚人墨客冶游之地，军人政客纵横捭阖之邦，佛仙道教修身养性之所。留下石磬编钟，余音绕梁；屈子离骚，荡气回肠；大江东去，千古绝唱；文物遗迹，鬼斧神工，历史传说，令人遐想……到了近代，兵燹洪荒，文物遗迹，劫后凄凉，但我们透过破败的墙壁，毁坏的屋梁，仍可看到昨日的繁荣与辉煌。

❶ ❷ 20世纪初的武汉三镇

❶ 1911年的武昌一瞥

此为从蛇山上所看到的武昌一隅。

❷ 从汉口望武昌

从汉口望武昌，对面即是蛇山。天上飘着白云，黄鹤从那里起飞。

❸ 长江、汉水交汇处

长江、汉水产生了武汉，也哺育了湖北人民。两水系的交汇处，桅樯林立，千帆竞渡。此照片摄于1920年。图中左为汉阳，右为汉口。

❹ 落水期的汉口江面

③

④

旧闻

秋意

■胡雲翼

武昌的秋意是這樣的：你如其到南湖一望，清淺的碧波新漲起來，曾經開過紅白花的蓮梗上，結成杯一般的蓮瓣，小劃上面的采蓮女，在綠葉中間往來回蕩，已經薄薄的秋意了；再到抱冰堂去看，不知名的樹葉飄零夾道，葡萄架下已不見喁喁情話的雙雙，閱兵臺十桂堂一帶也沒有結隊游行的士女了，順道走到黃鶴樓去：漢江茶樓高層上，只余幾個游客在吃茶，一二歌妓在和游客搭訕，前幾日還是白光照耀游人繁擾的黃鶴樓頭，只剩一家茶館的黯然的電光與江月相映；武昌的秋意已經很深了呢！

本來時序流駛，即已處處觸發我們悲感；而夏天與秋天的轉鈕，更使我們的感傷無窮。因爲由秋天到冬天，不過是荒涼上加一層凄苦：暮山紫，落葉黃；料峭的寒風，裂肌的嚴霜；河水凝冰，枯草含雪；冬蟲都已睡眠了，這也是人類生活的蟄伏時期，思想也消沉了。至于由冬天到春天俗所謂：『桃符換舊，爆竹更新』，到處喜氣融融，都是歡悅洋溢之態，春日的和煦，春風的麻醉，春花的璨發，春光的媚人；春水新漲，春草碧落；到處綠野，到處鶯歌；我們的生活雖不一定跟着春來，能够滋長，但換了冬衣；穿上春衣，總覺得時序有了新機，盡够我們到人叢裏去追求一番了。由春天到夏天，春衣又可以入典當了，穿上單衣，身體好像輕了些。蟬聲叫了，荷花香了，人類追逐繁華的時期又來了呢！這也是天公對人類最公平的時季，晚上沒有帳子，沒有床和被蓋，到處都可以安睡。只要有一件竹布長褂，這一個夏天就不愁衣了。大街小巷，男人女人貼肌貼膚的坐着，茶樓酒館，到處胡琴小曲，夏夜之夢，真有神秘之趣呢。女人的乳頭，肌膚，在別季很難看的，在夏天由透體紗瞧着，便立刻發現迷人曲綫來，肉的香，粉的氣，也盡够我們的想了。“浪子”追逐“繁華”，夏天原是最相宜的。若是由夏天到秋天，假如我們說“秋天到了”這已經寓了傷感之意。古人說“秋扇見捐”，淑女也抱終身之恨；“浪子回頭”，一場夏天夢，又如雲如烟的散了。脱下夏衣，又要那裏去乞贖出夾衣了。由熱鬧而寂静，由繁華而衰歇，這原是人類極難堪的事；要是以初秋之夜作背境，黃鶴樓作我們的觀望臺，那末，北望夏口，十裏的白光，裝飾成一串串的銀塔；新市場迤后城馬路一帶的電花塔燈，更渲染着半空際的璀璨，猶是留戀繁華的夏夜的余影。西望漢陽，則又一鈎新月，黯灰冷照半江秋水，冷照着歸元寺裏面的禪床，冷照着彌衡處士的荒墳，冷照着龜山的背影，冷照着漢陽兵工廠的烟筒；晴川閣看不清了，鸚鵡洲全部籠罩在黑霧裏面；這豈僅是薄薄的秋意？已催成哀怨的秋聲了！

只有詩人和畫家，秋天是他們最活躍的時季。原來在夏天的“繁縟”與“狂熱”裏面，决不會逗引優美的詩意來，而到了秋天憑藉一縷荒涼的情調哀傷的秋感又創作他們偉大的生命了，“寒蟬凄切”，“裊裊秋風”，黃花紅葉，斷梗殘荷，這都是描寫的資料；初秋的戀意，中秋的幽遠，暮秋的寥廓；在西風裏面的斜陽酒旗，在暮靄裏的秋山潦水，這都是作畫作詩的背境。古來偉大的作品，多半成功在春秋二季，秋天尤爲感傷文藝的殉情者。我人既不是詩人與畫家，不能略一傾訴自已的情懷，只好與秋光俱逝了呢……

秋夜深了，秋氣重了，也應該回去睡了吧。唉唉！

『晨報副刊·藝林旬刊』一九二五年九月卅日

①

②

❶ 1938年的汉口之一

1938年夏天的长江江面及汉口，江水滔滔，百舸争流。

❷ 1938年的汉口之二

西风浸润，华中人民的血汗，筑成中西合壁的大都市。

❸ 黄鹤楼

位于武昌黄鹤山（又名蛇山）矶头，面临长江，因山得名，相传为三国吴黄武年间创建，后各代屡毁屡修。重檐翼舒，台楼环廊，辉煌瑰丽，疑为仙官，引来历代诗人摹景抒怀。此照片摄于20世纪30年代初期。

❹ 陈友谅之墓

元末明初与朱元璋争天下之陈友谅墓，墓址在武昌黄鹤楼后蛇山下。

❶ 武汉抱膝亭

❷ 岳武穆纪念亭

岳武穆纪念亭为纪念民族英雄岳飞而筑，在蛇山之尾。

❸ 警钟亭

位于武昌黄鹤楼稍南，三层，上有平台，可眺江景。四面钟为张之洞所设，1912年，被战火击毁一角，钟不久亦毁。

④ 汉阳古琴台

高山流水觅知音。我们通过高高的琴台，平静的湖水，仿佛听到历史的回音。

⑤ 1938年的奥略楼

奥略楼，1907年张之洞的门生为追慕张之洞而建，初名风度楼，在黄鹄山（即现今蛇山）顶。楼成之后，张之洞据《晋书·刘弘传》中“恢宏奥略，镇绥南海”字句，改名奥略楼，三字亦为张之洞手书。1955年因修建长江大桥而拆除。

① 汉阳归元寺全景

汉阳归元寺，为武汉三镇第一巨刹。据《湖北通志》记载：清朝顺治初年(公元1644年)僧人白光建立此寺。

② 武昌宝通寺全景

武昌东郊的宝通寺位于洪山，规模很大，有三门、天王寺、接引殿、大雄宝殿、祖殿、左右客堂、斋堂、方丈禅堂等。

③ 宝通塔

宝通寺后有八角七层砖塔，飞檐斗拱、勾心斗角，曲栏环绕。传为唐贞观年间鄂国公尉迟敬德所监造。

①

②

③

❶ 汉口关帝庙

规模宏大，建筑精美，金光灿烂。

❷ 孙中山铜像

为纪念武昌起义，武昌市于湖北省军政府旁之蛇山下筑有孙中山铜像。

❸ 矗立在黄鹤楼旁的黄兴铜像

1916年10月31日，黄兴病逝于上海，后安葬于湖南岳麓山。为缅怀其在辛亥革命中的业绩，湖北人民在武昌建立了黄兴铜像，以供后人瞻仰。

❶ 1930年之中山公园

几乎每个城市都有中山公园，武汉作为辛亥革命首义之地，在全国最早修建了中山公园。此为园内“豁然开朗”景。

❷ 中山公园之瀑布

③ **黄梅五祖山远景**

黄梅，地处湖北东部，黄梅五祖山本名冯茂山，为禅宗五世祖弘忍禅师作为道场之地。

④ **五祖山真慧寺全景**

真慧寺在东山半山之中。东山在禅宗史上很有名，与四祖山暨西山遥相呼应。

❶ 五祖山(东山)真慧寺

五祖山真慧寺是唐代弘忍禅师开基之地。寺内大雄宝殿荡然无存。时为1937年。

❷ 真慧寺后授法洞

寺后山石中有授法洞，洞中有头戴宝冠之五祖弘忍石像。

❸ 五祖山中峰堂

中峰堂在天目中峰中途之处，其上有讲经台，从讲经台登上天门即可达到顶峰。

❹ 五祖山山顶

顶峰中有凹地，呈四方形，与周围山石互衬，像一朵巨大的莲花，所以又有白莲峰之称。唐代诗人裴度有律云：“更有一般人不见，白莲花向半天开”，为人津津乐道。

1

2

中峰堂
3

4

❶ 广济四祖山全景

四祖山位于今湖北武穴市境内，相传为禅宗四世祖道信出家之地。

❷ 四祖山正觉寺

四祖山正觉寺占地广阔，大殿毁于兵燹，仅存有四祖庵，已呈颓废之状。此照片摄于20世纪30年代初。

❸ 四祖龛

内有禅宗第四世祖道信之像。

❹ 正觉寺四祖庵

3

4

❶ 正觉寺前小石矶

正觉寺门外小石矶，清流潺潺，唐柳宗元有诗：破额山前碧玉流，骚人遥驻木兰舟；春风无限潇洒意，欲采蘋花不自由。

❷ 毘卢塔

四祖庵内有方塔，其上似戴一宝冠，塔背后有四祖洞，内有四祖佛像。

1

2

③ 黄梅东渐寺

东渐寺位于黄梅县城西郭门外，相传为禅宗六世祖慧能与五世祖弘忍传授衣钵之故地。从大门外表上看已呈颓废之势。

④ 黄梅高塔寺

黄梅县城东北隅的弥陀寺，有砖塔高耸，俗称高塔寺，该塔为清乾隆五十九年（公元1735年）重修，有《重修古弥陀寺高塔记》碑文。

1

2

❶ 当阳玉泉山远景

湖北西部的当阳，古来为征战之地，当阳玉泉山又名覆船山，据《玉泉志》记载："山嵬蓴嵯峨，崎岖崱嶷，峰疑偃盖，峦似覆船。"

❷ 当阳玉泉寺全景

隋代当阳令皇埔毗撰《玉泉寺志》，文曰："玉泉寺者，基此山焉。智头禅师之卜居也"，自古以来，该寺就与天台山国清寺、金陵栖霞寺、济南灵岩寺，称为"天下四绝"。

❸ 玉泉寺智者大师讲经台遗址

天台大师（即智者大师）在其38岁时，已名噪天下，后于太建七年（公元575年）突然归隐天台山，十年后应陈文帝召，复出。56岁在玉泉山讲"法华玄义"，翌年讲"摩诃止观"，后圆寂。其讲经遗址在寺东北隅古堂之前。

❶ 玉泉寺大雄宝殿

该寺院建筑有天王殿、大雄宝殿、毘卢殿、东禅堂、西禅堂、鼓楼、钟楼、藏经阁、观音殿、大士阁、圆通阁、班舟堂、送子庵、迟后庵、紫云庵等。图为大雄宝殿。

❷ 大雄宝殿前铁镬

大铁镬上铭文曰："隋大业十一年（公元615年）岁次乙亥十一月十八日，当阳县治下李慧达，建造镬一口，用铁今秤三千斤。永充玉泉道场供养。"每字方径二寸许，共44字。下有四力士以镬脚，镬高及人胸腹。

❸ 玉泉寺铁钟

大雄宝殿前左右各有一铁钟，其一铸自元代至大元年（公元1308年），另一铸自元代元佑七年（1320年）。

❹ 铜本尊

②

③

④

1

2

3

❶ 玉泉寺之铁塔

寺外铁塔为如来舍利宝塔，十三层，高七丈，重十万六千六百斤，为玉泉八景之一。建筑于宋嘉祐六年（公元1061年）。

❷ 当阳渡门寺三门

玉泉寺往东约7华里处有渡门寺，为唐代神秀禅师修行处。神秀为北禅宗之始祖，与南禅宗之祖慧能相提并论，为达摩六世传人，渡门寺在佛教史上地位甚高。

❸ 渡门寺后楞伽峰之无迹塔

此塔为明代万历年间无迹禅师重建。

❶ 大通寺三门

大通寺在玉泉山以东七里处，乃唐代仪凤年间（676—679）大通禅师所建，其庙宇宏丽，到民国年间已名存实毁。

② 建始晏公塘桥

建始，位于湖北西部的一个小县，其风光秀丽，但不为人所识。晏公桥为木质，下方“八”字形透空支木使桥梁美观、坚实，经百余年风雨而巍然不动，时为1933年。

③ 建始狮子山下之无人滩。

④ 建始清溪两岸

清溪水清，两岸山绿，民风淳朴。

❶ 建始奎星楼

❷ 建始玉皇桥
白墙青瓦，小桥流水，如不是傍山而筑，几疑是江南水乡。

③ 高涧瀑布

高涧瀑布水清凉冽，常年湍流不息。

④ 建始县城之近郊

❶ 古城荆州承天寺全景

承天寺位于荆州城内，是一座有着雄伟建筑的寺庙，号称“荆南第一禅林”。寺中有一块明朝弘治三年（1490年）立的古碑，为辽王撰书的《重修承天能仁禅寺三门记碑》，碑中记载：“斯寺之址，肇自东晋……。”

❷ 承天寺三门

③ 承天寺大雄宝殿

④ 宜昌三游洞
唐代大诗人白居易，其弟知退和元稹（字徽之）游此赋诗，刻于石壁上，因称此洞为三游洞。

⑤ 1937年之沙市中山公园

❶ 应城温泉闻名于世

应城温泉可以治病疗疾，泉水温度高达摄氏80余度，早晚热气蒸腾，遥望如云雾，游人慕名而来，四季不断。

❷ 西陵峡旧影

1937年时的西陵峡（宜昌峡）。

❸ 1920年的宜昌一角

宜昌的西门在20年代就盖起了楼房，已具现代城市雏形。

④ 宜昌韩公祠内韩愈像

⑤ 张飞长坂桥遗迹

位于当阳大地上的“长坂雄风”碑，雄风尤存。

⑥ 当阳霸陵遗址

丈八长矛横霸陵，叱诧风雷三军惊；三拱桥垮今未复，江汉犹存长坂风。

⑦ 襄阳街道古风存

襄阳街头酒旗风，旅者驻足笑相迎；三国故地历千载，童稚也能讲卧龙。

❶ **襄阳古隆中遗址**

古隆中在襄阳，三分天下此滥觞。襄阳三国古迹遍地：关羽攻樊城，水淹七军，生擒庞德在此。尤其值得一提的是，刘备三顾茅庐的古隆中也在此地。图为古隆中牌坊门。

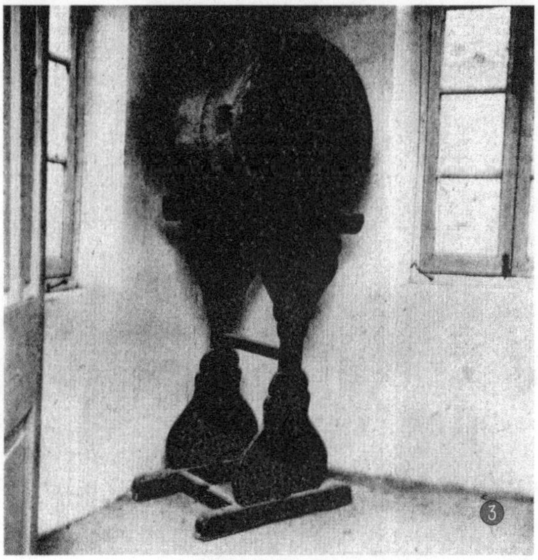

❷ 三顾堂之匾额

三顾堂即刘备三顾茅庐处。

❸ 古隆中所藏之铜鼓

铜鼓为南方少数民族所用之乐器。相传为诸葛亮七擒孟获时所用。

❶ 古隆中之草庐

草庐，即孔明之住所，修有六角亭，亭上有楼可供远眺。

❷ 武侯祠之武侯神位处

襄阳之武侯祠分三进院，前进院狭小，中进为客堂，三进为武侯神位处。

③ 东坡赤壁文庙

江山也需才人捧，以讹传讹几千年。东坡赤壁位于黄冈境内，东坡居士一曲“大江东去”使该地闻名天下，真赤壁则黯然失色，由于真赤壁以刘备联吴败曹而脍炙人口，黄冈赤壁以苏轼《西江月》而闻名于世，故前者又称武赤壁，黄冈赤壁称文赤壁。该照摄于1937年。

洪荒横流　湖北几陆沉

湖北素称泽国，长江东西横贯，北受汉水，南纳洞庭，地势低洼，湖泊密布，历史上就是灾害频发地区。据记载，自唐朝以来，湖北长江的重大水灾就有200多次，汉江的重大水灾50多次，小灾更是连连，中灾几乎是年年。到清末，外侮日亟，朝政腐败，经济凋零，财政日绌，洪灾更为频繁。民国以来，军阀连年混战，天灾人祸并至，湖渚渐平，枝河渐湮，江汉平原洪灾频发，几度陆沉。溃堤之年，饥民老弱，匍匐于泥水，露宿于风霜，号寒啼饥，死者葬于洪流，生者喘息于膻腥，腐臭逼人，疫情报警。水灾之后，旱灾接踵而至，烈日炎炎，赤地千里，禾苗枯焦，人畜争水。人民背井离乡，携雏别妇，四处逃荒，富饶的江汉平原呈现一幅流民图。

① 难民冻毙惨闻

1909年湖北汉沔等地洪水泛滥成灾，人民流离失所。是年冬，人民无衣无食，死亡甚多。此为当年画家的写实。

② 饥民投水自尽图

1909年，汉阳泉隆巷有一张姓贫民，无衣无食，为饥寒所迫，全家投水自尽。此为画家据该家自尽惨剧画成的写实图画。

③ 枣阳饥民暴动

1909年，湖北遭受洪灾，不少地区颗粒无收，农民衣食无着，饥民准备反抗清政府，被豪绅地主告密，首领四人被捕。饥民纷纷聚到县衙，要求立即释放被捕者。图为当时的写实。

④ 灾民齐集县党部前

1930年，江汉平原遭水灾，沔阳县部分饥民聚集县党部前，乞衣乞食。

❶ **人心惶惶逃水灾**

1931年7月，华中连降大雨，江汉平原一片汪洋。长江水涨至26.94米，汉口大堤溃决，洪水涌入市内，中山路水深达4—5米，街上行船，鱼游二楼，“城市沉没，累月不泄。”广大农村则“漂民庐舍，民皆依山露宿”“四乡皆成泽国”。大水累月不退。深冬，洪水方退，房舍荡然，哀鸿遍地，十分凄凉。趁水没有浸没大门的时候，赶紧抢抓几件重要的生活必需品，然后逃往一处比较安全的地方。图为汉口大街上逃避大水的人们。

❷ **汉口市政府在大水中**

汉口陆沉，洪水将汉口市政府的大门淹得只剩“天下为公”的匾额。

旧闻

鄂救灾會决定工賑大綱

【漢口十日下午九時發專電】救灾會决定工賑大綱。第一步計劃：一修濬武昌等二十縣塘堰溝渠。二安置武泰閘武豐閘張公堤等十處虹吸管。三在武漢近郊置抽水機，各縣均設工賑所，灾工編制二十五人爲排，十排爲團，本期工款定三十六萬，至漢陽、嘉魚、黃陂、孝感、黃梅、廣田六縣灾情最重，决先發急賑。

【漢口十日下午十時發專電】蔣電鄂省府，飭依限擬具本省防旱防水計劃。省府除將開荒工程計劃呈報外，并飭建廳詳細辦法，呈蔣核示。又武漢連日奇熱，室内常達一百零三度以上，十日有苦力工人倒斃于熱浪中。

【中央社漢口十日電】鄂救灾備荒會十日開第二次會，决議要案如下：①工務組擬具施工大綱及支款辦法，决議修正通過，②就農賑急賑各撥五萬辦工賑，③收支款項由財務組主任負責，④賈士毅因公定十一日赴滬，財務組職務由夏賦初暫代。

【中央社漢口十日電】漢市月余不雨，酷熱爲空前所未有。十日上午二時，室内温度猶有百度，下午二時室内温度達一百零四度，且晴空萬裏，毫無雨意，人民既畏酷熱，復憂旱荒，情形至爲狼狽。

『大公報』一九三四年八月

③ 汉口沿江被淹

长江水涨，长江大堤溃决，汉口陆沉，马路成河。汉口沿江被淹情形。

❶ 街道成河渠

汉口的街道成了河渠，当年的车水马龙变成了舟行徒涉，整个汉口浸泡在水中。

❷ 被淹的武昌武太闸

武昌武太闸溃堤，武太闸被淹没。

❸ 湖北慈善会被淹

❹ 汉口循礼门铁路外水深三丈，街市房屋均被大水淹没

❺ 被淹的武昌明伦街

武太闸溃堤后，明伦街顿时成河，水深及膝。

❶ 汉口灾民的居住地

汉口市被淹，灾民齐集在高地，以草席搭棚度日。

❷ 居住在草棚中的灾民

灾民在汉口铁路附近的高地上搭建的席棚，虽免遭水淹，但这样的席棚既不防雨，又不遮阳，日子真难熬！

❸ 武昌灾民成饥民

武昌被淹，灾民生活无着，盼食盼衣。

❹ 灾民在等待施粥
武昌的施粥厂里，每天都挤满了嗷嗷待哺的灾民等待施舍。

❶ 汉阳蔡甸被水淹惨象

汉阳蔡甸被大水淹没，水退后一片凄凉。

❷ 农民登房等待救援

蔡甸镇房屋全被冲毁，农民登房待赈。

❸ 被冲跨的古城墙

谷城县古城墙被大水冲塌之缺口。此为大水退后所摄。

❹ 房屋被冲毁

谷城县南门外被水冲塌的房屋。此为大水退后所摄。

旧闻

湘堵洞庭糾紛擴大

關于湘省修建洞庭堤垸、堵塞長江四口一案，前經鄂屬沿江各縣民衆奮起抗争，省黨部及武漢兩商會繼起反抗，問題逐因以擴大，現經由全國經濟委員會核查辦理。現沿江之江陵、監利、天門、沔陽等縣民衆，推定謝盛戡、傅向榮、沈肇年、張難先等爲代表，發起定于3月7口召集各縣旅武漢同鄉會代表，開聯席會議，商討應付辦法。2月27日發出通啓，措詞激昂慷慨。原文雲：『湖北向稱澤國，長江横貫其中，沿岸20余縣，以堤爲命。自九穴十三口口故道，不可全復，僅賴現存之松滋、太平、藕池、調弦四口引水分入洞庭，稍殺澎湃之勢。邇來各地任意堵築支流，與水争地，以致横決屢見，灾患頻仍。詎湘人更堵塞上列四口，已籌款五萬元，以備動工。而查閲某水利刊物，載李義社整理洞庭湖意見書，復謂揚子江水利委員會，有于松滋、太平、藕池、調弦四口設滾水壩之意。如果此事成爲事實，不僅與政府弃田還湖之旨，大相違反，而洪水泛漲，鄂境沿江之堤，必至潰決不可收拾。行見長江改道，洞庭北徙，江襄合流，鄂人胥葬波濤，利害切膚，萬難坐視。兹特商訂于3月7日，在武昌荆南中學校集會，籌議妥善應付之法。除呈報湖北省黨部、暨省會警察局，派員指導外，擬請先行召集貴鄉旅居武漢同鄉，預爲商討，并推舉代表，届期同赴荆南中學校會議。事關全省公益，幸勿延誤。』

在湘鄂水利問題，特别緊張之際，監利車灣江堤，忽告崩塌。該堤横阻大江，爲監利、沔陽、漢川、嘉魚、漢陽等縣唯一保障，其重要不減于鐘祥之遥堤、荆州之萬成。歷年歲修，糜款甚巨，并經預挽月堤，以防意外。不料近日該堤永興堆棧屋基處，遭回流衝刷，外岸突形崩潰，連帶危及根本干堤。全國經濟委員會據報，此令江漢工程局，趕運大石，在潰處纏籠襲抛，以資搶護。詎因河流變遷，永興棧碼頭堤段，于復估后，繼續崩坐，月余之間，崩穿30余丈。其距離青果碼頭，亦受影響，有塌陷形勢。現在將崩未崩之堤身，約近四裏，危機萬狀。除長江工程局局長席德炯、經委會技正汪胡楨、總工程司史篤培等，已往設法搶護外，監利各機關、法團，亦正聯合與此堤共存亡之七縣人士，分别向京鄂政府當局，及主持水利機關，一致呼吁，請將搶護遥堤款項，提撥十分之三，從速搶險，以保全七縣人民生命財産。此時正值江水奇涸，而關系重大之長江干堤，竟告出險，則其致敗原因，在于堤身之培修未固，與工程之疏忽簡陋，而不關水勢之浸潤激蕩。如不從速動工，仍復視同兒戲，則轉瞬春水一漲，監沔七縣，立成巨灾，無待盛夏大汛也。

『申報』一九三七年三月二日

⑤ **农村房屋被毁十之八九**

农村房屋十有八九被冲毁，图为被大水冲过后之太平店。

⑥ **襄阳被淹，家破人亡**

襄阳南门外被水冲坏之房屋。此为水退之后所摄。

❶ 洪灾害人，高地栖身
樊城鹿角门城上的灾棚。

❷ 娱乐场一片荒凉
在洪水的肆虐下，昔日的樊城娱乐场，人走房倒，一片狼藉。

❸ 大水冲塌古城墙
樊城近旭门的古城墙被洪水冲塌。

旧闻

請示救灾辦法

張群赴贛謁蔣
請示救灾辦法
黃陂苦旱豺狼當道食人
通許淫雨成灾秋收絶望

【漢口九日下午十時發專電】張群九日晚赴贛謁蔣，請示鄂省救灾辦法，據民廳統計，全省因天久不雨，灾情日益擴大，現缺食灾民全省達二百八十萬，被灾面積九千三百三十六萬一千公畝，糧食損失二千五百九十七萬四千二百九十公石，計水灾沔陽等十一縣，旱灾黃安等二十四縣，九日武漢天又大熱，室内達一百零一度。

【中央社漢口九日電】武漢爲政治商業中心，人烟稠密，每日食米在八千石以上，平時來源多仰給湘皖贛及本省各縣，近則均告灾歉，來源斷絶，省銀行倉存又虚，約計僅敷二十日之用，米商已請政府速爲之計，免引起嚴重問題。

【南京九日下午十時發專電】蔣以鄂省水旱灾重，特電賑務委員，妥籌賑濟辦法，以救灾黎。

【漢口九日下午十時發專電】黃陂苦旱，北境木蘭山等處豺狼虎豹無從得食，遂當道食人，鄉民已被食十余人。

【中央社漢口九日電】鄂救灾備荒會二次會議，決俟周星棠賀衡夫返回后再開，該會爲嚴防弊端起見，特擬定奬懲辦法，嚴厲執行。

『大公報』一九三四年八月十日

湖北旧影

❶ 房倒人亡
樊城鹿角门内，大水冲倒房屋，淹死数百人。

❷ 大水冲了药王庙
樊城药王庙地区被大水冲后之惨况。

❸ 堤破水涌，顿成泽园
汉川城隍港姚儿垸破堤，大水直抵汉川城外。

①

②

③

① 被淹之千佛寺
汉川县千佛寺一带被淹情形。

② 城门成涵洞之一
汉川县东城门被淹之情形。大水前车马行于城，现大水中舟船难行，城内外隔绝。

③ 城门成涵洞之二
汉川县南城门被淹，街衢成河道。

④ 汉川的灾民
汉川水灾严重，灾民衣食无着，时近深秋，在愁苦中度日。

⑤ 城门被大水冲塌
洪水将老河口城门冲塌之情形。

①

②

③

④

⑤

❶ 钟祥县邢公祠之溃口
堤内外一片汪洋，高地成岛屿，树木成水草。

❷ 洪水冲破古城墙
钟祥县城西门城墙被洪水冲破之缺口。

③ 灾后留水痕
钟祥南关城门上留下洪水痕迹。

④ 灾民挖土觅食
钟祥码头街灾后成瓦砾，灾民挖土觅食。

❶ **天门干堤决口**

天门彭市河上双合垸干堤破口，堤外堤内一片汪洋。

❷ **大堤决口，平地水流急湍**

大堤决口后，由于天门至岳口间水深流急，人行困难。

❸ **大水淹了官衙**

天门专员公署遭没顶之灾，水退之后房上瓦尚留有水迹。

旧闻

鄂東焦土一片！

百萬灾民出境乞食
何鍵允鄂商赴湘購米

【漢口十九日下午九時發專電】何成濬二十日抵鄖陽，沿途視察灾情及駐軍軍紀，鄂東黃廣圻一帶，灾情日重，灾黎生機已絶，十之八九出境乞食，情況極慘。

【漢口十九日下午十時發專電】鄂東來人談，黃梅廣濟圻春等縣，焦土一片，收成全無，灾民百余萬，十之八九出境乞食，老弱以糠和花白色觀音土爲糊，藉以充饑，救灾會令辦賑者努力辦賑，分別獎懲，李書城十九日在湘謁何鍵商准在湘購米救灾，該會預定武昌等灾重各縣爲平糶區，禁米商居奇。

『大公報』

④ 天门县城门被淹没

天门县城门被淹没。图为水退之后城门始有月形。

⑤ 灾民在席棚内度日

天门被淹，灾民们在北关古城堤上搭建棚房，作栖身之所。

❶ 漂泊的灾民

1935年7月，霪雨连月，江汉平原又陆沉，“江湖为一，谷价腾贵，人多饥死”。官府忙于自肥，政府忙于内战，饿殍遍地，虽有慈善机构，但人多物稀，杯水车薪，人民依然生活在水深火热之中。在湖北灾区每天有上千万的灾民过着这样漂泊的生活。

❷ 江汉平原又陆沉

1932年夏，江汉平原又发大水，田园淹没，村庄仅余房屋树梢，图为当时拍摄的航空照片。

③ 钟祥洪流横行

钟祥因汉水泛滥，街市被水淹，街道行船。

④ 江堤内民工在加固江堤

水火无情，大水压城，汉口民工不分昼夜加固江堤。时为1935年7月。

❶ 荆江大堤溃口

1935年7月荆沙水灾，荆江大堤得胜台溃口，大水汹涌冲进堤内，许多百姓遭灭顶之灾。

❷ 洪水淹没江陵西门

❸ 江陵被淹，人畜上房

江陵被大水淹没，江陵西门外人畜爬上房顶待救。

④ 灾民临时栖身所

大水冲毁了住所，江陵的灾民在河堤上搭起棚子，作为栖身之所。

⑤ 被淹之安陆一村庄

① 街头乞食的灾民

大水淹没了家园，一家大小在街头乞食度日。

❷ 嗷嗷待哺的荆州灾民

❶ 农民涉水接受救济

② 江陵被水淹没

1948年夏，鄂西、鄂东又发大水，国民党政府忙于内战，自顾不暇，人民群众束手无策，任被洪水泡淹，损失惨重。图为该年8月，江陵县忠孝乡河水泛滥，灾情严重，百姓房屋浸泡在水中达三月之久。

③ 江陵成泽国

1948年8月，江陵县鹤鸣镇南五洲溃口后，满垸尽成泽国。

❶ 灾民在高地上搭建的席棚

才脱水淹，又遇烈日煎熬，灾民们在水深火热中挣扎。

①

②

③

② 蕲春大水淹没街道
蕲春县大西门内江水入城，街道成河。

③ 蕲春大水淹没房屋
蕲春北门外后濠漫溢，淹没房顶。

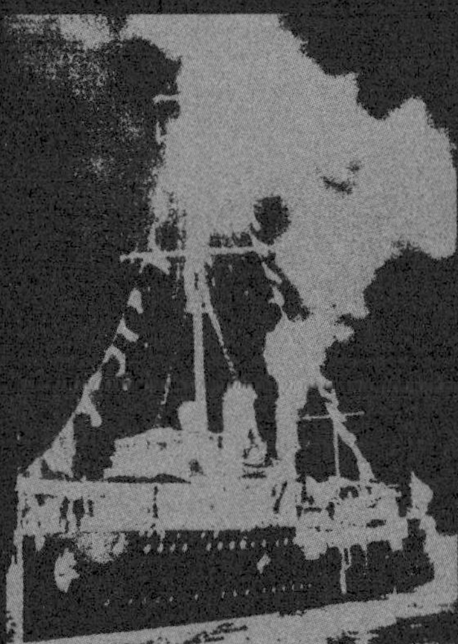

烽火遍地　抗日逞英豪

1937年秋至1938年10月，武汉成为中国人民共同抗日的政治、军事和文化中心。各机关、团体纷纷迁至武汉办公，各党派领袖和爱国人士也汇聚武汉，共商抗日大计。湖北人民迸发出巨大的爱国热情，或慷慨解囊，献金捐物，或踊跃支前，救死扶伤，为抗战大业贡献所能。为了抵御日本侵略者，国民政府先后组织了武汉、随枣、枣宜和鄂西等会战，予日本侵略军以沉重打击。中国共产党则领导抗日武装和广大湖北人民，在极其艰苦及危险的条件下，在敌后展开了游击战和持久战，进行了不屈不挠的斗争。经过浴血奋战，湖北军民终于和全国人民一道，迎来了抗日战争的最后胜利。湖北人民为争取抗日战争的胜利所作出的牺牲和贡献将永垂青史！

1. 抗战中心

1937年底至1938年10月，湖北再度成为全国政治、军事、文化的中心。国共两党领导人集合于武汉，共同筹划抗战救国方略。1938年的湖北尽管炮声隆隆、硝烟滚滚，但人们的抗战热忱胜过一切，抗战的歌声、口号声响遍城乡大地。

❶ 周恩来与彭德怀等在大智门车站合影

抗日战争爆发后，国共两党再度携手合作。随着上海的失守，国民政府宣布西迁，武汉一度成为中国政治、军事、经济、文化中心，各党派各团体汇聚武汉。图为1938年1月，周恩来与叶剑英、郭沫若前往大智门火车站，迎接来自抗日前线的八路军副总司令彭德怀。

❷ 周恩来会见斯诺

1938年夏，周恩来偕邓颖超在武汉会见美国记者、《西行漫记》的作者斯诺（左）。

① 北伐老战友，抗日聚会在武汉

抗日战争爆发后，曾在北伐战场上并肩战斗的老战友又走到一起来了。1938年1月，叶挺(右一)、张发奎(右二)、郭沫若(右三)、陈铭枢(右四)、黄琪翔(右五)在武汉重逢时合影。

② 彭德怀等在中国电影制片厂

全面抗战开始后，中国电影制片厂由上海转移到武汉，摄制抗战题材的电影。1938年初春，彭德怀与郭沫若（左）等在电影制片厂。

③ 政治部暨第三厅领导人合影

1938年1月，军事委员会政治部在武汉成立，周恩来、黄琪翔任副部长。同年4月1日，政治部第三厅成立，郭沫若任厅长。图为周恩来(右二)、黄琪翔(右一)、郭沫若(右三)、杜国庠(左二)、唐棣华(左三)的合影。

④ 中共领导人汇集中国电影制片厂

1938年春，军委会政治部第三厅成员与八路军驻武汉办事处成员汇集在中国电影制片厂。前排就坐者：彭德怀(右一)、王明(右二)、曾宪植(右四)、邓颖超(右五)、于立群(右六)；二排站立者：阳翰笙(右一)、郑用之(右二)、童小鹏(右四)、郭沫若(右六)、周恩来(右七)、潘汉年(右八)、博古(右九)、叶剑英(右十)。

❶ 高等学府成为战时政治中心

1938年3月29日，中国国民党在武昌武汉大学召开临时全国代表大会，决定抗战建国方针。图为当时的大会会场——武汉大学。

❷ 国民参政会成立

1938年7月6日，第一届国民参政会在武汉召开，参政员总额200名。图为出席参政会的参政员合影。左二起：陈绍禹（即王明，中共代表），于右任、居正、张伯苓、汪精卫、孔祥熙等。国民参政会系抗日战争时期国民政府的咨询机关。

③ 国民参政会通过抗战建国纲领

1938年7月6日，第一届国民参政会通过了抗战建国纲领。

④ 三民主义青年团在武汉成立

1938年7月9日，三民主义青年团在武昌成立，蒋介石兼任三青团团长，陈诚为书记长。图为成立时中央干事会的合影。左起：陈诚、陈果夫、张厉生、丁惟芬、张伯苓、蒋介石、王世杰、朱家骅、罗家伦等。

1

2

3

1 全国文艺界抗敌协会成立
1938年3月27日，全国文艺界抗敌协会在汉口成立。

2 中国空军人道远征：凯旋归来受欢迎
1938年5月19日，中国空军轰炸大队在大队长徐焕升、副大队长佟彦博率领下，驾机从武汉起飞，远征日本九州、长崎，日本全国一片警报，举国震惊。不料投下的不是炸弹，而是纸弹宣传品，世人评论是“人道远征”。图为何应钦(右)、孔祥熙(左)欢迎凯旋的空军健儿。

3 痛击日军飞机的空军将士
1938年1月18日，日军飞机袭击武汉，中国空军迎头痛击，击毁日机12架。图为空军健儿战后在机场留影。

❶ 参加“四二九”武汉空战的健儿合影

1938年4月29日为日本的天长节，13时许，日军两个中队18架重型轰炸机在两个中队18架战斗机的护卫下，直扑武汉。由中苏空战人员和美英法志愿人员组成的机群60余架飞机升空迎战，武汉三镇上空群机追逐、机关枪炮声响成一片，日机不断被击中，拖着滚滚黑烟坠地，地上军民仰望观战，他们为侵略者的下场欢呼雀跃。至14时，侵犯日机大部被歼。

❷ 市民欢迎空军英雄

空军大捷，湖北民众战时服务团欢迎空战英雄。

❸ 八路军驻汉办事处向空军将士赠送锦旗

1938年5月，八路军驻武汉办事处向对日本投撒纸弹的空军人员赠送锦旗。左一为董必武。

❹ 武汉人民集会庆“五一”声讨日寇

1938年“五一”节，武汉三镇举行盛大的示威游行，纪念“五一”国际劳动节，声讨日寇的侵华罪行。图为在汉口的一个热烈场面。

旧闻

武漢空戰光榮記録

武漢空戰光榮記録，昨午擊落敵機二架，我機追逐衝擊亦有4架損失，李桂丹隊長功成殉國

(本市消息)敵機前后38架，于昨日上午12時許，陸續向武漢進襲，我方英勇空軍，起而應戰，奮力交戰，死力周旋。結果敵機被我擊落二架，我方亦有4架驅逐機遭受損失。擊落敵機之空軍名單及擊落地點，業已查明，并聞當局擬于短期内將各該敵集齊展覽，以資鼓勵。空軍此次樹立奇功，當爲武漢空戰以來之空前記録，而市民之欣歡情景，亦極熱烈异常。茲分誌各情如次：上午12時許，據報有敵機數架，由皖贛邊境向武漢方面進發。嗣該批敵機未到鄂境，即傳赴衡陽一帶肆虐。另一批大隊敵機，于上午6時許經鄂東北往犯重慶，曾在重慶廣陽壩投彈十余枚。至12時許，復據報，敵機30余架，發現于皖境，有向武漢三鎮進襲企圖。迨至下午1時左右，敵機漸逼近武漢防空警界，當以敵驅逐機避翔高空，匿于雲端，除有10余架敵轟炸機擅作低空飛外，余均不易觀清。故敵機若干，一時難于判別，但此時我驅逐機以列陣市區之外，准備殲擊。旋灄口及戴家山一帶，敵機數架向我軍猛撲。我某隊長勇率戰士，迎上交戰，彼上此下，均争死角逐射擊，厮殺激烈。乃至我陣綫略顯微弱之際，我某隊忽從旁趕來，痛加側擊。敵機頑强還擊，亦極凶猛，翻騰上下，各逞奇術。正在難分難解之混戰間，我另一隊長統帥新生力軍趨往增援，馳騁往來，敵機漸漸敗北，乃竄向機場，部舵落口及漢陽一帶，我各將士乘其備，急列包圍陣勢，采取個別擊破戰術，向前夾攻，敵軍隊伍頓現慌亂，無力回擊，當見青光朵朵，濃烟縷縷，數架敵機紛紛應聲下墜。我空軍見奏功之時已至，各展神威，又奮追擊，至漢黄陂東湖八倉子埠黄花澇及后湖一帶，以最敏捷之手段，連將敵機擊落，敵機愈形狼狽，匆匆東潰。我軍見任務已達，未加窮追。事后調查，我方亦犧牲四架，一架落地焚毁，戰鬥員駕傘安全降地，一架機身稍毁，戰鬥員脚部略受微傷，另外兩架人機俱毁。按自武漢三鎮發生空戰以來，我空軍能于一次交鋒内，奮勇殺敵，連擊落敵機二架，洵爲之激烈戰鬥，可爲空軍史上開一新頁。故全武漢市民對此驚人成績，欣欣鼓舞，興奮若狂。又據空軍當局負責人語記者稱：此次空戰，我方戰士亦有相當犧牲，尤其以隊長李桂丹奮勇殺敵，竟遭壯烈犧牲，令人不勝惋惜。李隊長爲人干練，戰術精良，過去曾擊落敵機8架，厥功甚偉。又記者事后驅車循黄陂縣公路，前往視察，敵機機身尾部被焚毁多處，白銀色軀殼上，尚有太陽徽志殘痕，兩翼已破碎，發動機及機槍均墮入土内數尺，零亂之機關槍子彈分散地面。敵駕駛員，兩足折斷，頭部僅余后額，袋内有護身符及少數日幣，衣爲粗厚黑嗶嘰制服。記者檢視敵機被擊落之汽缸蓋上，有『空廠式B型』字樣，并注有『昭和12年9月制造』字樣，號碼爲『2797』。

『申報』一九三八年二月十九日.

① 武汉会战中活跃在湖北的新闻记者

1938年5月27日，新华日报社和中国青年新闻记者学会联合举行招待会，欢迎从徐州突围来汉的记者。图中前排：(右一)《大公报》范长江、(右三)《新华日报》陆治、(右五)新加坡《星中日报》黄薇、(右八)暹逻(泰国)《华侨日报》蔡学余；中排：(右一)《新华日报》张企程、(右二)中央社俞创硕、(右三)潘梓年、(右七)《武汉日报》周海萍；后排：(右一)《扫荡报》张剑心、(右二)中央社石家驹、(右五)全民通讯社勾适生、(右六)秦邦宪、(右七)吴玉章、(右八)章汉夫。

❷ **保卫大武汉的游行**

1938年夏，日本侵略者进攻武汉，武汉人民举行保卫大武汉的游行。图为武昌的一个游行场面。

❸ **世界学生声援中国抗战**

1938年6月，世界学生代表团抵达汉口，声援中国的抗日战争。

2. 献金热潮

"中华民族到了最危险的时候"，从城市到乡村，从平民到达官，从乞丐到阔佬，都喊出"抗战救国"的口号。拿出一点钱，献出一点金，表示自己的爱国心。

❶ 抗日献金，情满武汉三镇

1938年“七七”抗日周年纪念日，武汉人民在军事委员会政治部第三厅的组织发动下，开展了空前的献金支援抗战的活动。图为汉口中山路(现中山大道)献金台前，献金群众踊跃热烈的情景。

1 1938年夏，汉口市民踊跃献金的情形

2 献金的老人
为资助抗战，这位汉口老人倾囊献金。

3 老河口的民众献金情形

恭迎
郝軍長劉師長靈柩

① 武汉学生上街宣传抗日献金
少年学生爱国不甘人后，冒着炎热，向行人呼喊："为抗战捐献一块铜板"，摄于1938年7月武汉街头。

② 抗敌剧团在江汉关前演出
为抗战发出怒吼，为救亡响应抗战，台上台下热情洋溢，歌声口号声响成一片，武汉与全国一样，发出了抗战的吼声。

③ 汉口人民恭迎郝军长、刘师长
1937年10月，在忻口战役中阵亡的第九军军长郝梦龄、第五十四师师长刘家麒的灵柩运达武汉，汉口各界人士前往恭迎。

④ 武汉市民欢庆台儿庄大捷
1938年4月，台儿庄大捷的消息传到武汉，市民燃放爆竹庆祝。

4

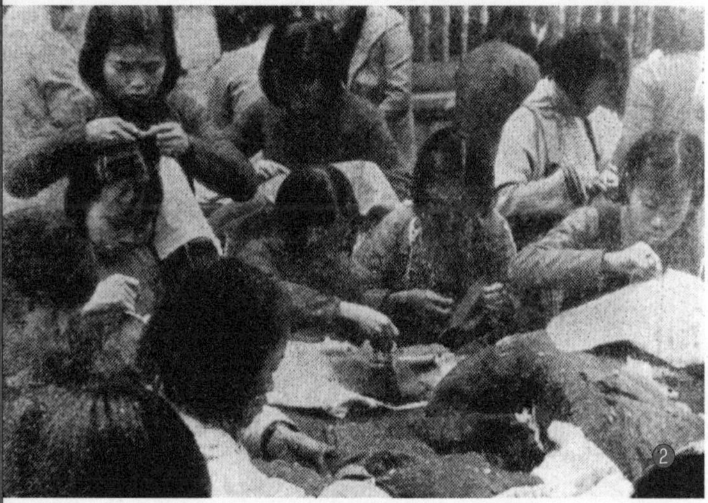

① 汉口童子军参加救助
空中敌机肆虐，地面伤亡惨重。汉口童子军救护遭日机轰炸受伤的民众。

② 前方炮声急，后方做寒衣
“抗日救国”，成为湖北人民每一个人的呼声和奋斗的目标。图为1938年初，湖北的妇女、儿童日夜加班为抗日前线将士赶做寒衣。

③ 鄂北民众帮助军队挖工事
1938年夏，鄂北民众为支援军队打击日本侵略者，积极帮助军队挖战壕，修工事。

④ 汉口妇女积极参加救护伤员

医院也是前线，救护受伤的同胞，同样是为了抗战，武汉各界妇女自愿组织起来、救护在武汉会战中受伤的伤员。

3. 武汉会战

1938年6月15日，日军集中两个军、9个师团3个旅团和海军、航空兵各一部，沿长江南北向武汉进攻。中国第九、第五战区以57个军、129个师另海空军各一部迎敌。会战以武汉为中心，在鄂、豫、皖、赣的广大地区展开。会战进行了四个多月，是八年抗战历时最长，参战人数最多，地域最广，最大的会战。在人民群众的大力支援下，歼灭了大批日军。

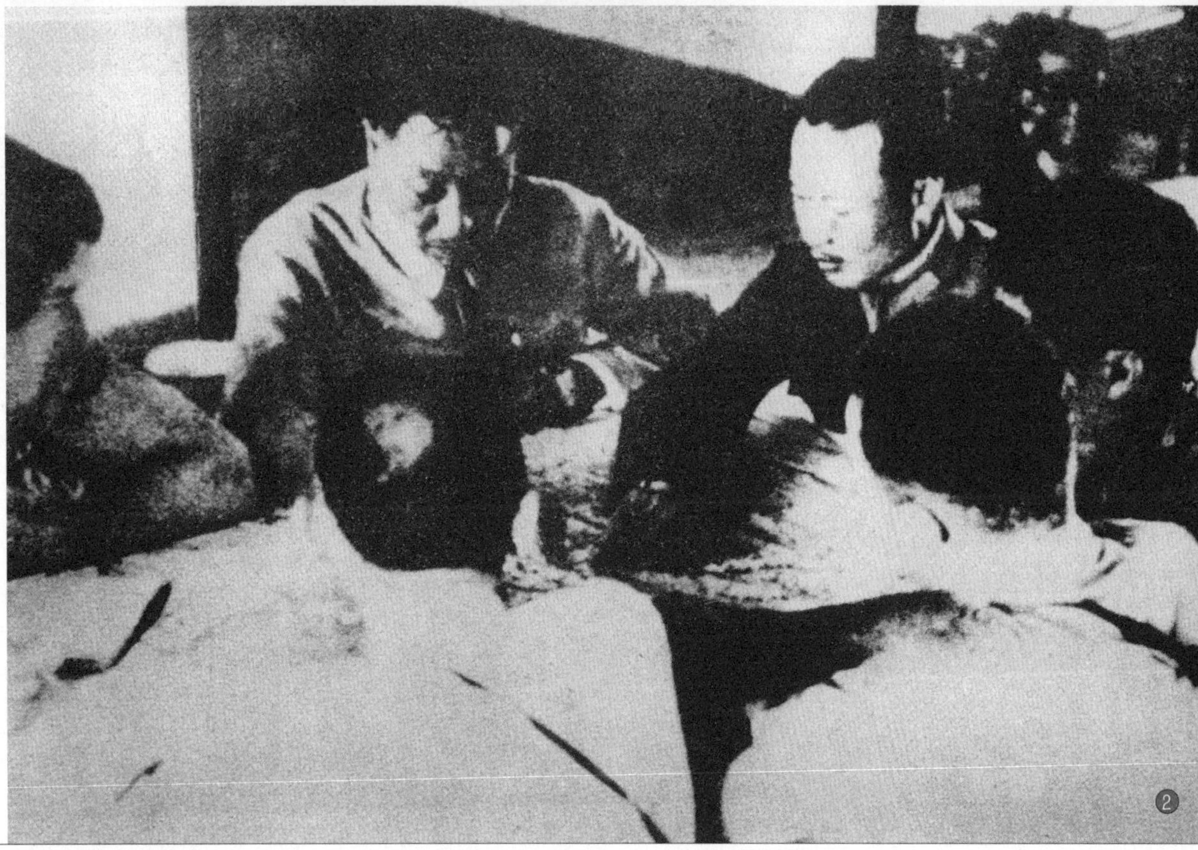

❶ 向武汉攻击的日军

1938年6月15日，日本决定攻占武汉，控制湖北——中原腹地，以威逼国民政府投降。为此，日军调集第二、第十一军共9个师团3个旅团和海军、航空军各一部，分沿长江南北向武汉进攻，开始了武汉会战。图为向湖北进攻的日军。

❷ 第九战区司令长官部研究作战计划

1938年7月，为组织武汉会战，国民政府军事委员会将武汉卫戍司令部扩大为第九战区，陈诚任司令长官。图为陈诚与幕僚研究作战计划。

【湖北旧影】

③

❶ 平汉路上装有机枪的列车

为防日机扫射，武汉附近平汉路上列车都安装了机枪。

❷ 田家镇要塞炮兵向日军开火

位于阳新附近的田家镇地处长江狭窄处，中国部队在该处筑有要塞。1938年8月，日军沿长江西犯，该要塞炮火向敌射击。

❸ 中国军队在武汉外围与日军激战

①

旧闻

鄂疏通監犯經過

陸續依法開釋二千余人
現在寄押人犯僅余千名

【本市消息】自蘆溝橋事變后，北東兩戰場展開血戰。敵機飛往各處轟炸；監所人犯時受危險。且戰事發動，各省政界亦受影響，高等法院先后草訂湖北省在監司法人犯非常時期服役辦法，及湖北省在監人犯非常時期處置辦法兩種，呈奉司法行政部核准試行。旋又先后奉到戰時監犯調服軍役辦法，非常時期處理軍事犯辦法，暨非常時期監所人犯臨時處理辦法：均經轉令各監所遵照辦理。高院復以戰事延長，敵機時至武漢侵襲，所有武漢各監所雖未波及；而監犯飽受虛驚，則無可諱言。因一面督促各監所長官依照各種辦法積極辦理，一面向湖北省政府及其他軍政機關商洽實行，以免人犯作無謂之犧牲，兼可增强抗戰之實力。截至最近止：計湖北第一監獄，依非常時期處理各辦法辦理保釋或開釋人犯共四百八十九名，調服軍役人犯一百零九名，又保外服役人犯二百三十名。共計疏通人犯八百二十八名。湖北第二監獄保釋或開釋人犯三百二十名，調撥鐵肩隊人犯二百五十七名，調服兵役人犯二十五名，又保外服役人犯六十六名。共計疏通人犯六百六十八名。湖北少年監獄保釋或開釋人犯一百三十三名，調服軍役人犯六十八名，又保外服役人犯四十名。共計疏通人犯二百四十一名。至武漢兩地院看守所未決犯，雖未能援用前項各辦法，亦經分別督飭推事檢察官及武漢兩地院長官注意清理，以免濫押。計武昌看守所依普通程序交保或開釋，疏通六百余名。漢口看守所保釋開釋或提送上訴審，疏通三百余名。總計三監兩所，共疏通二千六百余名。現在各該監所收容人犯，連寄押漢奸嫌疑及附和僞組織者，尚有千名左右。關于應移轉后方嚴禁人犯，亦正清查辦理中雲。茲附録，非常時期監犯臨時處置辦法原文于次：

第一條：監獄拘禁之人犯，除調服軍役者外，其在看守所嚴押之人犯，依本辦法處置之。第二條：監犯依法得假釋或保外服役者，一律保釋。其不能取具保證，而該地已宣告戒嚴時，得不命具保，還予開釋。第三條，左列各獄監犯，于該地已宣告戒嚴時，得照規定辦理。①處五年以下有期徒刑或拘役者，②殘刑期不滿三年者，③年逾六十歲或確有疾病者，④婦女。第四條，前兩條以外之監犯，依左列各款辦理。①處十年以下有期徒刑者，而該地已爲接戰區域，而監內無法戒護時，得暫時解放。②處無期徒刑或有期徒刑逾十年者，應于后方監獄預留相當地位，于必要時移送收容，但該地已爲接戰區域，不及移送時，得依前款辦理。被解放者，應于該地宣告解嚴后，十日以內，至監獄或警察署投到。逾限者以脱逃論。第五條，看守所人犯依法得停止羈押着，比照第二條規定辦理。其情節重大，應予羈押者，比照第四條第一款規定辦理。犯罪最重本刑爲死刑或無期徒刑者，比照同條第二款規定辦理。第六條，依第二條第一項及第五條第項保釋者，應照通常程序辦理。依第二條第二項，第三條，第四條，及第五條第二項保釋或暫時釋放者，須經當地戒嚴司令官之許可，仍造名册呈報司法行政部備案。其由行政機構寄禁寄押之人犯，應分報原機關或其上級機關。第七條，軍事機關審判之人犯，另定有臨時處置辦法者，得依其規定。第八條，本辦法于犯外患罪或與外患罪性質相同者，不適用之。犯前項之罪而收容于監所者，于必要時，應移送后方監所行之。

『大公報』一九三八年一月卅一日.

❶ 战火中的武汉

1938年10月25日，日军迫近武汉，在武汉车站激战，中国军队在最后一刻撤出武汉。

❷ 日军俘虏一部

武汉会战中被中国军队收容的俘虏。

❸ 海军为阻日军西犯武汉，在长江上布水雷

图为准备出发的布雷船。

❹ 日军坦克冲入市区

1 航行在长江上的中山舰

中山舰原名永丰舰，因1922年6月16日，陈炯明发动叛乱，孙中山先生避难于永丰舰，后更名中山舰。1938年中山舰在湖北长江江面抵抗日军侵犯。10月24日，被日军飞机炸沉于武汉金口。

❷ 进入武昌的日军

日军带着同伴的骨灰进入武昌市区，墙上抗日杀敌的宣传壁画依然存在。

❸ 日军侵占武汉街头的标语

从街头标语中可以看出武汉的抗战宣传当时已十分红火。

❹ 武汉街头的野战工事和标语

❺ 日军占领武汉后的街头碉堡和标语

日军虽然占领武汉，标语上的话是每个中国人的心声。

❶ 胸前挂着骨灰的日军

沮丧、疲惫的日军，胸前挂着同伴的骨灰进入市区。

❷ 日军占领武汉行营

❸ 日酋畑俊六进入武汉

日华中派遣司令官畑俊六（前）率部进入武汉。

2

3

4. 日寇暴行

日军的铁蹄一踏上湖北大地，即穿堂入室，砸门撬锁，翻箱倒柜，疯狂抢劫。从银行到茅舍，从金银到废铁无所不掠，银行、商店、仓库、居民被洗劫一空。1938年10月武汉、广州失守之后，日本为推行其“以战养战”的政策，对湖北各地疯狂地进行掠夺，民舍、机关、学校被搜刮得十室九空，房屋被焚，工厂、矿山的设备被拆运，厂房被捣毁。美丽富饶的江汉平原成为百业衰败，万户萧疏，人民流离失所，妻离子散的人间地狱。

❶ 空袭警报响过之武汉街头

日机来轰炸，警报响起，武汉市民纷纷奔向防空洞避难。

❷ 徐家棚车站被炸毁

武汉的徐家棚车站于1938年7月19日被日本飞机狂轰滥炸，成为废墟。

❶ 汉口被炸，千疮百孔

在日机的肆虐下，繁华的汉口成为一片瓦砾，千疮百孔。

❷ 亲人被日机炸死，亲属痛哭

被炸死的居民，以芦席掩盖，亲属痛哭。被日寇飞机炸成家破人亡者不知有多少。

③ **家破人亡的武汉居民**

亲人被日寇飞机炸死了，家被日寇飞机炸毁了，一个老人在废墟旁痛哭，家破人亡之痛是令人悲切的！

④ **民众搭车逃难**

武汉会战中，武汉市民搭车向后方逃难。

❶ 战火中的难童之一

日本侵略者的轰炸屠杀，使成千上万的湖北儿童失去亲人、家庭，成为孤儿，一部分幸运儿由保育院收养。图为在保育院的孤儿歌咏队。

❷ 日军兵临鄂城，民众逃难一空

日军兵临鄂城，居民争相逃难，以避日寇抢杀，鄂城成为空城。

旧闻

宜昌昨首次空襲　粵交通綫被狂炸

【廣州二十四日下午六時發專電】今晨六時至下午三時敵機三十五架分十一批襲粵，九架入廣州，在白雲機場附近及西村投十余彈，毁民房數間，死傷數人，二十余架炸粵漢路江村至沙口段，投五十余彈毁車一輛及路軌甚多，今晚停車，廣九鐵路公路亦被炸，惠州及虎門、新州亦投彈，損失甚微，粵民自衛團各區主任委員已出發，限期編組成立，沿海提前組織，以固國防。

【中央社宜昌二十四日電】敵機十二架廿四日早十時二十分首次侵襲宜昌，江中落彈數枚，泊於江內船支僅受波動，其他無恙，敵機于郊外監獄附近投彈十余枚，死平民四十余人，震倒房屋數棟。

【中央社訊】二十四日晨八時余，敵機十余架經過安徽桐城到達鄂東后，即分成南北兩路，南路經武穴、陽新，飛向崇陽附近，北路經羅田飛至孝感上空盤旋，防空司令部于是先后發出空襲及緊急警報，我飛機及高射部隊亦均嚴陣以待，嗣后南路敵機折向南飛，至武寧、修水一帶上空盤旋甚久，于九十五十分經九江向皖邊飛去，至在孝感上空盤旋之敵機又向西南飛行，於十時餘到宜昌投彈，仍循原路逸去，十時三十分防空司令部發出解除警報。

【中央社惠陽二十四日電】二十四日下午二時許，敵機二架來襲，飛行甚低，在顏屋渡投一彈，落河中，僅木排上炸傷一人。

『大公報』一九三八年一月廿五日.

❶ 战火中的难童之二
保育院的难童自己动手，分发食物。

❷❸江汉关被炸
1938年3月、8月，江汉关两次被日机轰炸，图为被炸毁的江汉关升旗处。(图2为轰炸前的情形)

❶ 警备铁道的日军

1938年10月，武汉会战结束，湖北大部沦陷，日军除对敌后战场多次“扫荡”，对正面战场进行作战外，还控制交通干线、桥梁，搜刮战略物资。图为警戒铁道线的日军。

❷ 湖北人民在日军的刺刀下生活

亡国奴，就是在敌人的刺刀下生活，这张照片就是证明。摄于1939年。

③ 1938年的大冶钢铁厂全景

虽屡经战乱，大冶钢铁厂始终坚持生产，成为当时中国重工业生产的佼佼者。图为沦陷前的大冶钢铁厂。

④ 大冶钢铁厂高炉

汉冶萍公司大冶钢铁厂450吨炼铁炉。抗战中被日军拆除运走。

❶ 炼铁炉被日军拆除

炼铁炉为大冶钢铁厂主要设备，日军将其拆除运走，炉址长满了荒草。

❷ 被日军拆运一空之大冶钢铁厂锅炉房

大冶钢铁厂锅炉房和大车房设备全部被日军拆运，房顶也被揭去，仅剩四壁。

❸ 日军拆除之炼铁炉残骸

炼铁炉设备被日军全部拆除运走，地面一片狼藉。

❹ 日军放火焚烧民房

日军烧毁了湖北人民的住房，人民背井离乡。但心中的仇恨比烈焰高，比汉水长！图中躲在草垛后面的是日军。

❺ 日军纵火烧襄樊

1940年5月1日军纵火焚烧襄樊。图为大火中的襄樊一角。

4

❶ 黄梅县政府被敌破坏

黄梅县政府被日军破坏得荡然无存，只余破砖碎瓦。

❷ 被日军破坏之黄梅中学

黄梅中学为鄂东重点学校，1938年秋日军占领黄梅后，对该校的设施大肆进行拆抢和破坏，抗战胜利后，该校仅余一塔，校舍断壁残墙，凄凉无比。

❸ 黄梅孔庙被破坏

日军不仅大肆杀人越货，对中国的文化遗迹也大肆破坏，黄梅的孔庙被日军破坏得只余枯树废垣，一片荒凉。

❹ 被日军破坏后的礼山县机关

日军侵占礼山后，将县机关抢掠一空，将房捣毁，长满野草，一片凄凉。

5. 坚持抗战 喜迎胜利

1938年10月武汉失守后，湖北成为日军盘踞的中心地区，成为敌后战场和正面战场犬牙交错的地方。国民政府为了拱卫四川大后方，先后组织了随枣、枣宜和鄂西会战。中国共产党领导敌后人民坚持抗战、坚持统一战线，坚持游击战，有力地打击了日本侵略者，配合了正面战场的作战，赢得了抗日战争的最后胜利。

❶ 鄂西前线的中国军队开赴战场

武汉会战后，中国军队退入湖北周边山区，继续作战。

❷ 日军渡过汉水向鄂西北进攻

日军占领武汉后，又向湖北各地进犯。

❶ 向鄂西北进攻的日军

❷ 在湖北大地上“扫荡”的日军

③ 抗战中的武当山
1939年后，江汉平原大部被日军侵占，武当山成为第五战区的后方基地。

④ 第五战区部队进攻枣阳
1940年5月16日，第五战区部队夺回鄂西北的枣阳城，图为部队进攻枣阳城。

❶ 中国军队突入枣阳北门

❷ 收复襄阳

第五战区部队收复日军所占领之襄阳。

❸ 在枣宜会战中牺牲的张自忠将军

张自忠(1891—1940)山东临清人。1933年参加长城抗战。1937年全面抗战开始后，历任第五十九军军长、第五十三集团军总司令，参加了徐州、武汉会战。1939年3月，与日军战于四家集。1940年5月，日军犯襄樊、京山、钟祥，率部渡襄河击敌。同月16日在南瓜店殉国。为表彰其忠勇爱国的精神，国民政府追赠其陆军上将。

① 行进在鄂西山区的第六战区部队

1943年，第六战区部队行军赶往渔阳关。

② 陈嘉庚慰问到鄂北

南洋华侨领袖陈嘉庚先生率南洋华侨慰问团到湖北某地慰劳抗日军队，受到李宗仁司令长官的欢迎。

③ 湖北省各界举行慰劳第六战区将士大会

① 湖北敌后抗日三位领导人

1939年后，湖北成为日军盘踞进攻的重点地区之一，敌后抗日战争的环境特别艰苦恶劣。敌后军民在共产党的领导下，与敌人开展了艰苦卓绝的斗争。图为湖北敌后抗日战争中的三位领导人在一起。右起：李先念、郑位三、陈少敏。

② 鄂豫边区行署委员会成员合影

抗日战争中鄂豫边区行署委员会成员在应山合影。后排右二为陈少敏。

③ 新四军在湖北的创建地浆溪店，

1939年2月，李先念率新四军豫鄂独立游击大队挺进武汉外围，进入湖北境内的第一个落脚点 — 浆溪店。

④ 新四军第五师旧址——尹家垱

1945年8月至10月，新四军第五师司令部设于尹家垱。

⑤ 侵略者的下场

侵华日军尽管曾不可一世，但终究逃脱不了覆灭的下场，在湖北军民的英勇抗击下，湖北的山山水水到处都留下了侵略者的坟墓。

❶ 高高的墓碑是侵略者的归宿

高高的墓碑以侵略者的尸骨堆成，墓碑和祭悼者的虔诚，掩盖不住侵略战争的无道和血腥。日军为悼念阵亡者，在湖北修建了一些这样的墓碑。

❷ 日本投降后，集结在武汉的日军士兵

曾在中原大地横行的强盗，你们也有这一天！投降日军士兵集合后，接受中国军队的检查。

③ 欢庆胜利的武汉人民

八年苦难，八年奋斗，湖北人民和全国一道经过艰苦卓绝的八年浴血奋战，终于迎来了胜利的这一天！图为汉口民众欢呼抗战胜利的热烈场面。

九省通衢 商贾百业兴

湖北地处华中腹地，农业生产水平一向较高，自古就有“湖广熟，天下足”的美誉。湖北矿产资源十分丰富，近代以来，在一些有识之士的倡导和主持之下，煤铁等资源得到了初步的开发，为工业生产提供了便利，使近代湖北成为了长江流域内陆地区工业较为发达的省份。湖北处于我国南北陆上交通和东西水上交通交汇之地，独特的地理交通条件，使之成为商品集散地，水运运输和邮政设施均达到了一定水准。但在旧中国，由于政治腐败，外敌入侵，战乱不断，湖北地区经济发展水平仍十分低下，广大工农群众仍过着食不果腹的贫困生活。

1. 工　　业

讲到湖北的现代工业，不能不提到张之洞。1889年（清光绪十五年），张之洞任湖广总督，奉命修建卢（卢沟桥）汉（汉口）铁路。张认为，修路必先造钢轨，造钢轨必先办钢铁厂，故须大规模开采矿山。尔后，以开采大冶铁矿为开端，开办了汉阳炼铁厂、湖北枪炮厂等。重工业的发展又带动了轻工业，湖北的纺纱、织布、缫丝、制麻也得到发展。1908年（光绪三十四年），以汉阳铁厂、大冶铁矿、萍乡煤矿为主体的商办汉冶萍煤铁厂矿有限公司成立，掀开了中国近代工业新一页，它在推动中南地区乃至中国民族工业的发展，起着很大的作用。

❶ 1891年的汉阳钢铁厂

1890年(光绪十六年)张之洞在汉阳龟山（即大别山）北麓创办，初名湖北炼铁厂，因地处汉阳，一般均称作“汉阳钢铁厂”。

❶ 湖北近代工业奠基人——张之洞

张之洞(1837—1909)字孝达，直隶南皮人，生于贵州兴义。曾任清末两广总督。1889年调任湖广总督后，在湖北开办工厂，编练新军，创办新式教育，成为洋务运动后期代表人物。他在湖北先后创办了湖北炼铁厂(即“汉阳铁厂”)、大冶铁矿等企业，为湖北近代工业奠定了基础。

❷ 汉冶萍公司总理盛宣怀

1908年，盛宣怀将张之洞创办的汉阳铁厂、大冶铁矿和萍乡煤矿合并，改为商办，成立汉冶萍煤铁厂矿股份有限公司(简称“汉冶萍公司”)，盛任总理。汉冶萍公司是中国最早的近代化钢铁联合企业。

❸ 1911年的汉阳钢铁厂

高耸的烟囱冒着浓烟，在今日是污染，在当时以农业为主的江汉平原上，那可是一大景观，也表明中国启动了近代工业的步伐。

④ 汉阳钢铁厂熔铁炉

⑤ 1928年之汉阳工业区
以冶炼、制造业为主的汉阳，到20世纪20年代已初具规模。

❶ 大冶铁矿厂

1891年，张之洞在湖北大冶创办大冶铁矿厂。图为铁矿厂一角。

❷ 大冶狮子山铁矿石

③ 大冶贮砂厂
开采的铁砂石等待运输。

❶ 砂帽翅山铁矿

火车将采下的矿石运往制铁厂。

❶ 1924年的大冶炼铁厂

2

① 大冶铁厂
丰富的蕴藏，便利的运输，大冶制铁厂得天独厚。

② 大冶电厂外景远眺
钢铁和电力是现代工业的标志。20世纪20年代，大冶的电力工业已发展到一定水准。

③ 大冶电厂6000瓦发电所外景

④ 汉口既济水电公司

1906年开办，为湖北最大的民族资本企业。

❶ 鄂南电力公司武昌发电所配制间金工厂

② 武昌电厂2500瓦汽轮发电机

③ 武昌发电所大门

① 中央造币厂武昌分厂大门

② 造币厂的熔炼车间

铸币所用的铸模由该车间熔化的金属浇铸，工人们正在进行浇铸操作。

③ 中央造币厂武昌分厂的金属材料分析室和造版室

金属材料分析室和造版室为该厂技术含量最高的部门，也是该厂的核心部门。

④ 造币厂的老式压锻机

旧闻

漢口造幣廠發生暗潮

蕭樹仁私賣鐵碌

十四日漢口通信、漢口造幣廠、向有碌銅之鐵碌、系自張文襄在鄂時所備、遺留至今，從未私賣，至楊鑽緒充廠長時，因開支困難，與商家訂立之合同，每鐵一噸，出售十二元，經蕭兼長開知，不准售賣，沈子良任内，始將合同取消，蕭樹仁見此事有利可圖，仍持前議，每噸減作六元，賣與伊之小舅子游某，被該廠總辦李蕃昌查知，大起衝突，不知如何結局，按此鐵碌自張文襄置備以來，迄今數十余年，蕭確有鑒于古物之當保留，不准售賣，蕭樹仁竟悍然私賣，而又減作半價，私人獲利，至少在數萬元以上云。

『民國日報』一九二六年三月廿日

湖北兵工厰

① 汉阳炼钢厂的兵工学家——徐建寅

徐建寅(1845—1901)字仲虎，江苏无锡人。曾出使欧洲多国，从事外交和科学考察工作，是近代著名的科学家、翻译家，曾任汉阳钢铁厂总办，汉阳炼钢厂总办侯补道。1901年3月31日在汉阳实验无烟火药时发生爆炸，徐等13人以身殉职。

② 湖北兵工厂大门

1904年，湖北枪炮厂改名为湖北兵工厂，又称“汉阳兵工厂”。

③ 湖北枪炮厂

即“汉阳兵工厂”，1888年张之洞在广州筹建。次年，张之洞调任湖广总督，将广东订购机器改运湖北，设枪炮厂于汉阳龟山北麓。1894年建成，次年冬开工生产，陆续扩建成拥有炮、枪、炮架、炮弹、枪弹、钢药等分厂的著名兵工企业。

④ 辛亥革命后之汉阳兵工厂

鳞次栉比的厂房，高高的烟囱冒着浓烟，在当时可是一派繁荣景象的写照。闻名全国的“汉阳造”步枪就是在这里生产的。

③

④

①

②

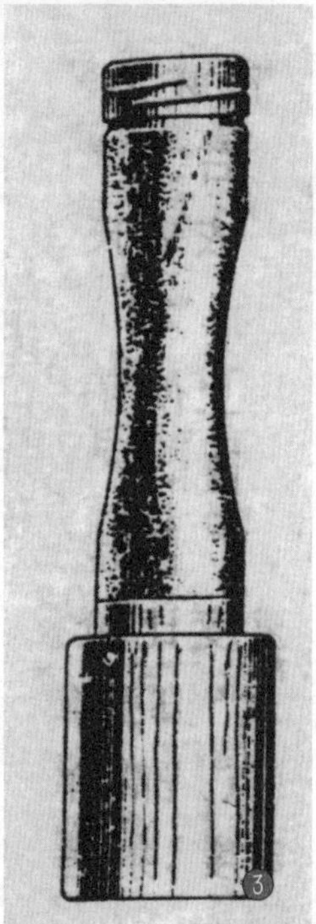

③

❶ **汉阳造架退炮**

汉阳枪炮厂于1898年(光绪二十年)仿德国格鲁森式制造，该炮使用黑色有烟火药和钢性炮架，有较高的射速和命中精度，但发射烟幕很大，随着黄色发射药的使用，该炮也就退出了战场。

❷ **改良30节重机枪**

汉阳兵工厂于1921年10月10日(民国十年双十节)正式制造，故称30节式。仿美国勃朗宁1917年式重机枪，该枪既可平射又可对空射击。

❸ **汉阳造木柄手榴弹**

❹ **"汉阳造"**

1896年(清光绪二十二年)，湖北枪炮厂仿德国88式毛瑟步枪并加以改进，定名为"汉阳式"步枪，俗称"汉阳造"。该枪坚固耐用，易于制造，直至1943年停止生产，是旧中国军队装备的主要兵器。汉阳兵工厂也因此名扬天下。

❺ **7.63毫米毛瑟手枪**

俗称"驳壳枪"、"自来得手枪"，有半自动、全自动两种，汉阳兵工厂仿德国7.63毫米手枪大量制造，是旧中国下级军官和特种兵常用兵器。

❻ **柏格门冲锋枪**

俗称手提机关枪，汉阳兵工厂于二三十年代仿德国柏格门冲锋枪制造。该枪是旧中国军队较先进的步兵武器。

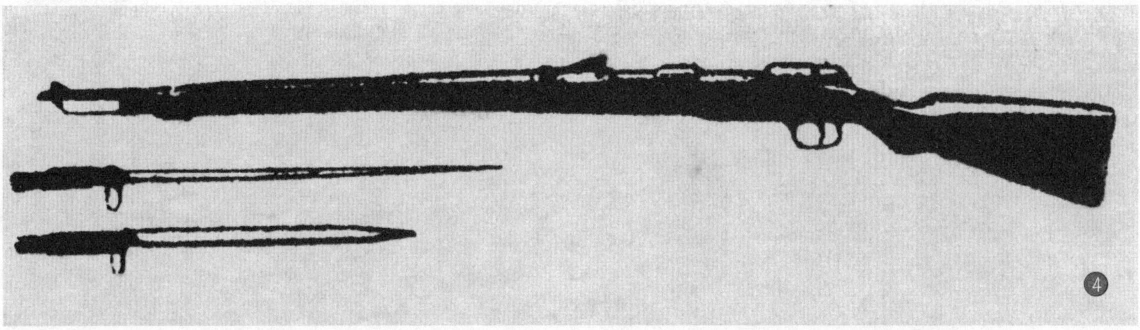

④

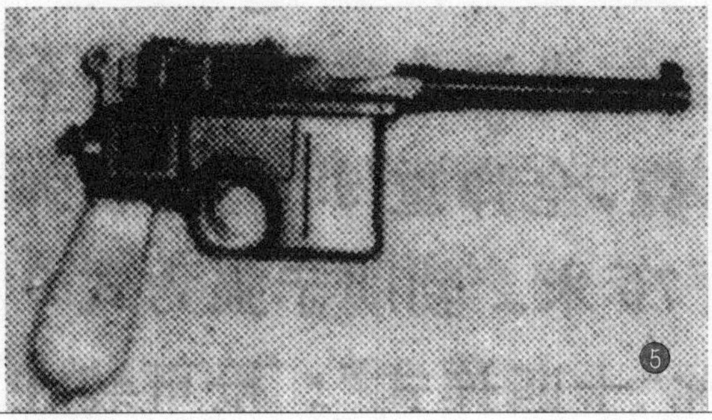

⑤

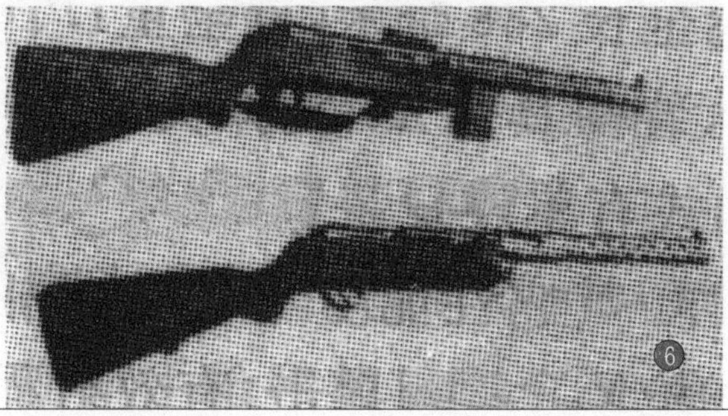

⑥

湖北館

❶ 南洋劝业会湖北馆正门

1910年(宣统二年)清廷为“振兴实业，为国家富强”，由两江总督及农工商部会同各直督抚在金陵（今南京）设立南洋劝业会，以南洋大臣、两江总督张人骏为会长。劝业会由全国22行省分馆组成，各省将其物产荟萃罗列于此。湖北物产丰裕，馆内建筑中西合璧宽敞明亮。图为湖北馆正门。

❷ 湖北馆内绿草茵茵

2. 农　　业

湖北境内河流纵横，湖泊密布，是著名的鱼米之乡，自古即有"湖广熟，天下足"之誉。但在近代中国，湖北地区农业生产力十分低下，仍以人挑畜耕为主，抵御自然灾害的能力有限，水旱灾害频仍，有"沙湖沔阳州，十年九不收"的谚语，加上战乱影响，农业生产产量很低，广大人民的生活仍是丰年不丰，荒年饥馑。

❶ **插秧**

布谷啼，插秧忙，五月正是好时光。

❶ 湖北农村之牛车

❷ 犁田

耕种收打是农民一年生活的全部内容，春天犁田对牛对人都是辛苦的活儿。

③ 收割

10月稻谷成熟了，收割脱粒分外忙。

❶ 簸谷

手摇风机簸稻谷，粒粒都是汗水浸。

❷ 湖北国营农场之办公处

武昌、嘉鱼、咸宁、蒲圻四县交界之金水流域，有淤田数十万亩，因水患而少收成。1932年，国民政府在此建筑金水闸，治理水患，经3年施工，金水闸建成，将荒地开辟为国营农场，隶属武汉行营第六处。农场从国外高价购买新式农具，家畜禽亦为由国外引进之优良品种。

❸ 金水闸

此闸历3年建成，可灌溉武昌、嘉鱼等四县农田。

2

3

❶ 马拉播种机

国营农场先进农具之一。该播种机用四匹马拖拉，每日可播种一百余亩。

❷ 拖拉锄地机

国营农场新式农具之一。该锄地机锄地速度极快，数十亩土地不一会即可完成。

❸ **农场中之气象台**

农场中设有气象台，可预报小范围内之天气。

❹ **农场之羊群**

农场饲养之良种羊由瑞士引进，毛长而乳汁多。

❺ **路设识字牌，少年教老人**

1936年，湖北农村部分地区进行识字教育，在道路旁设识字牌，对路过的老人们进行识字教育。

3. 交　通

湖北是我国南陆上交通和东西水上运输的交汇地区，有“九省通衢”之称。入民国后，随着连接川、湘、赣、皖、豫等周边地区的铁路、公路的相继修建，至全国解放前夕，全省交通已有了较大改观。但总体来说，交通运输仍十分落后。

① 1907年的汉口码头

② 1918年的汉口码头

1928年之汉口沿江一隅

大武汉，大在汉口，有“紧走快走，三天走不出汉口”一说。

② 破产农民沦为苦力

帝国主义的侵略和封建统治的压迫剥削，农村的破产日益严重，大批破产的农民涌入城市，出卖廉价的劳动力。图为1898年在汉口码头等待工作的一批脚行苦力。

旧闻

富源輪在漢附近沉没

富源輪于昨11日在距漢數十裏之舵落口沉没。該輪系聯合公司潘至寶等經營，行駛已有數月，以次由漢上開。因廢歷年關逼近，由漢辦貨下鄉者極多，故該輪客貨堆積如山，除貨物不計外，乘客亦達600余人。11日晨8時，由漢口萬安巷碼頭啓碇，10時許駛至舵落口。該處沙重水急，前年雲江輪即沉没于此，蓋該航綫中最險之地也。富源輪至此，偶一不慎，擱陷沙中。當時人多擁擠，而船身又朽壞不堪，不半小時，即傾斜沉没，除天棚上乘客扒起百余人外，所有艙内艙面乘客，概被淹斃，約計死難者400余人。當船出險時，人貨漂流水中，救命之聲，與江流競響。當地劃户，均乘機搶劫財物，絶不救人。迨舵落口警察趕到，鳴槍制止，下令救人，而求救者早與波臣爲伍矣。警察無法，只令各民劃打撈尸身，羅列兩岸，慘不忍觀。直至深夜，尚有被難家屬，鳴火打撈。按滙通在巴河失事以后，建廳即有設所檢驗小輪之議，然遲不實行，故此次慘劇發生，輪船公司與官廳當局，均有重大之責任。

『申報』一九三九年二月十二日

① 1928年之汉口沿江一隅

② 繁忙的汉口码头
"货到武汉活"，这是商界的口头禅。汉口码头是华中物资集散地，五湖四海的商品舶来武汉，华中的物 资再流向四面八方。

③ 长江大水时的汉口码头
1935年7月7日长江大水，汉口码头被淹，乘客无法直接上船，轮渡公司调用舢板运送旅客上渡船。

③

① 长江上的大木筏

西南山区产木材，木材经过三峡急流漂流到江汉平原，商人们将木材连成大筏，小者几十平方米，大者几百平方米，运者在筏上盖起简易房子，生起灶火，俨然一个小天地，成为湖北江面上一道风景。

② 1920年的宜昌港

优越的地理位置，使宜昌成为航运十分便利的地方。停泊于宜昌港的船又分为南船和川河船，南船主要航行于长江下游一带，川河船则要溯江过三峡到四川。

③ 1909年的沙市码头

沙市也是长江上的大码头，湘鄂的农副产品，川黔的山货在这里集散，一时桅樯如林，千帆竞发。

1

❶ 川汉铁路开工典礼

1909年12月10日，川汉铁路在宜昌举行开工典礼，中间三人，左为总工程师詹天佑，右为李稷勋。川汉铁路为商办，1911年5月9日，清朝政府将其出卖给外国列强，引发了鄂、川、湘省保路运动，保路运动成为辛亥革命的导火索。

❷ 詹天佑与家人在武汉

詹天佑(1861—1919)，广东南海人。1905至1909年以总工程师身份修建京（北京）张（张家口）铁路，1912年5月，任粤汉川铁路总会办兼总工程师，主持修建粤汉川铁路。

❸ 川汉铁路宜昌晓曦塔火车站残址

1911年初，清政府动工修建川汉铁路宜昌段，后因清政府宣布铁路国有而停工。图为宜昌晓曦塔火车站站房残址。

1 粤汉路全线通车

粤汉路因株州至韶关段未修竣，一直不能直达。1936年8月该段修成。9月1日晚列车由广州发车，至3日到达武昌徐家棚车站，全程44个小时，图为粤汉铁路管理局局长凌鸿勋（车头站立者）、副局长王仁康（车前而立者）在发车仪式上。

2 行驶在粤汉铁路上的列车车头

3 粤汉路首次车抵汉

首次通车抵达武昌徐家棚车站员工留影。

4 花河支线开工

1937年夏，平汉路花河支线开工。

②

③

④

① 负重在旧路上行走的人们

脚穿草鞋、身负重物在路上蹒跚而行的农民，这是旧中国农民坎坷生活的真实写照。1933年摄于鄂西某地。

② 道路 桥梁 汽车

旧的土路铺上沙石，老式汽车跑在旧式的桥梁上。该照片20世纪20年代摄于湖北某地。

③ 府河堤公路桥梁

④ 戴家湾公路桥

⑤ 武葛公路桥

① 开山凿岭汉宜路

汉（武汉）宜（宜昌）路宜昌段陆家冲开山修路，该处开山60余米，深14米，共开石方6000余立方米。

② 山路湾湾

汉宜路山路因山就势，汽车在山中穿行。

③ 临江之汉宜路

宜昌往三游洞之汉宜路，北临长江，其前即为西陵峡入口处。

① 汽车行在山上

当阳之雨连山顶修公路，车行其上，四山皆在轮下。

② 鄂东公路

鄂东黄冈到广济段之七里冲公路，两山夹峙，愈上愈峻，别有一番景色。

① 行驶在武汉的木炭汽车

1935年汽油紧缺，武汉的工人发明了以木炭燃烧而驱动的汽车，该车虽然速度很慢，但载重、速度均比畜力强得多，而且燃料可就地取得，这样的汽车在抗战中一直使用。

② 邓氏兄弟发明的水上脚踏车

汉口邓述青、邓述芬兄弟发明了水上脚踏车，成为当时社会上的新闻。图为1936年邓氏兄弟在武汉东湖试验，引起游人关注。

③ 汉口至宜昌通航

1931年，宜昌到上海开通航空邮政。图为工作人员往汉口号邮机上装运邮件。

②

③

4. 邮　　电

湖北地处华中，九省通衢，自古以来就设有驿站，以传递信息。1911年辛亥革命后，孙中山先生称邮政是“富国便民”的事业，应大力发展。1913年废除全部驿站，按省划分邮局区，设省邮务管理局，省局下再分设一、二、三等邮局。1931年9月，省邮务管理局易名为邮政管理局。邮政在湖北省内形成了东西连结，南北贯通的网络。从邮递方式来说，创设了火车、自行车、轮船、三轮车等各类行动邮局，增设了揽收乡镇邮局件的步班，拓宽了经营服务范围，逐渐形成了一支专业邮递队伍，为方便湖北人民的生活、发展生产起到一定的历史作用。

① 汉口大中华邮务局外景

邮局的建筑不次于银行，给人以信任感。此照摄于1936年。

❶ 正在营业的邮局

民国初年，汉口邮政局营业的情景。从服饰上看，邮政还是富人能玩的侈奢品。穷人是难以问津的。

❷ 湖北邮政管理局收发信件处

通过分检，再经邮差的劳动，送往四面八方，邮到千家万户。时为1936年10月。

③ 汉口湖北邮政管理局装运邮包处
汽车将分检后的邮包拖到码头和车站。

1

❶ 邮政工作人员分发信件

1936年，汉口邮局职工在分发信件，收收发发，进进出出是他们每天工作的全部内容。

① 湖北邮政管理局公共大厅
大厅宽敞，生意冷清，时为1936年。

② 武昌邮局营业大厅
此为营业大厅的正面。时为1936年。

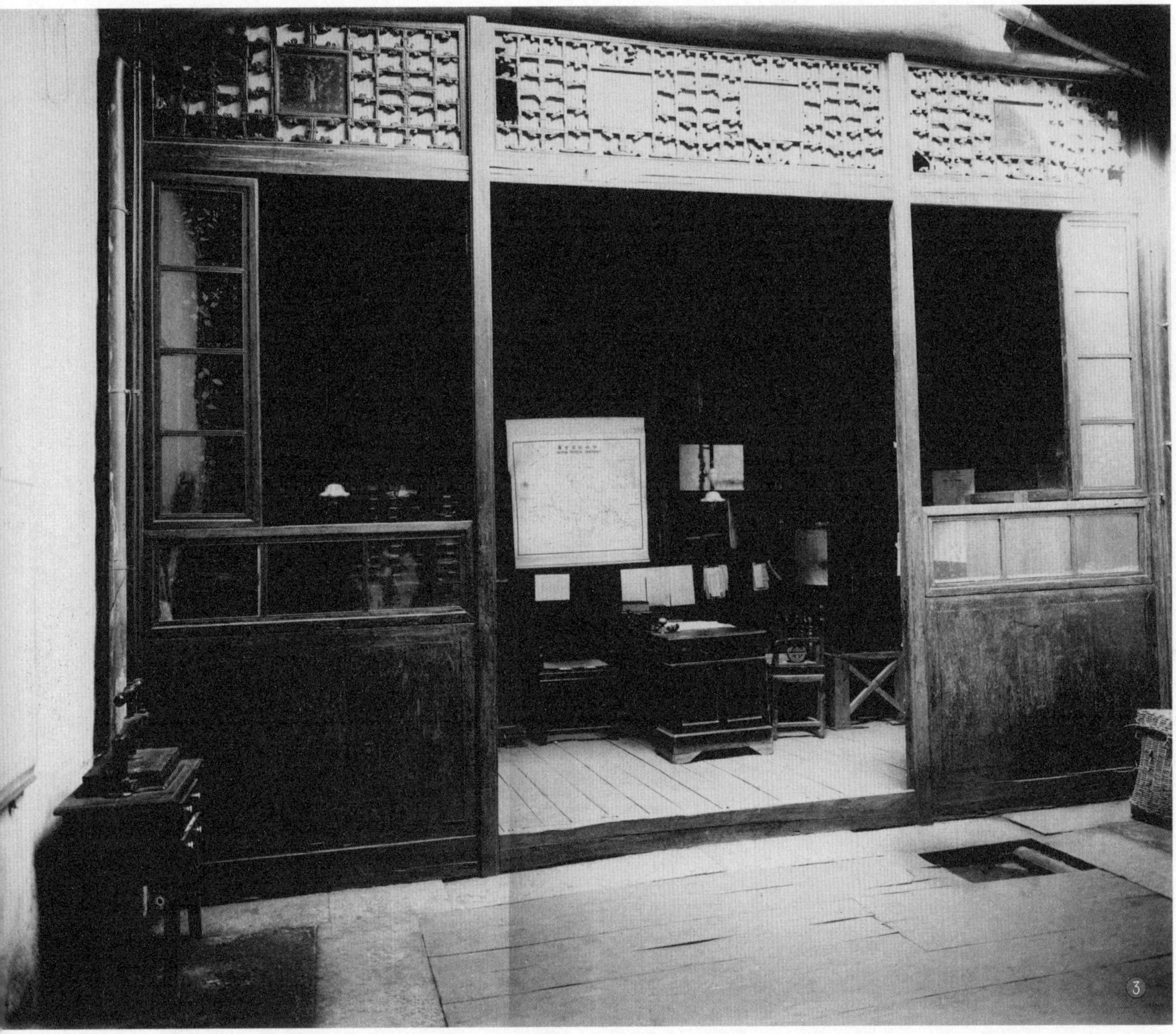

③ **武昌邮局办公室**

办公室内挂有湖北邮区全图，这是必不可少的。时为1936年。

❶ 武昌邮局局长办公室

如果没有说明，人们还误认为是私塾先生教学的地方呢。时为1936年。

② 武昌邮局所在街景及邮局花税票支发行所

在这条街上，邮局并不起眼。武昌的商业已发展到一定规模。

武昌一等郵局

❶ 租用民宅的武昌一等邮局门景
邮门深深，是为了保险、安全，真不愧为一等邮局，时为1924年。

❷ 沙市邮局门景
一等邮局四字醒目，可惜门面太小。时为1936年。

❶ 沙市邮局邮包间

沙市的邮包间比汉口的更小，更冷清。

❷ 宜昌邮局外景

宜昌邮局的建筑不比汉口的差。时为1936年。

❸ 无着落信陈列

宜昌邮局窗口旁陈列着他局寄来或他局退回的无着落信件，以待查询者查找。时为民国初年。

① 邮差们将邮包运送上船

远方来的邮包分到邮差手中，又将四方汇来的邮件装上船。分分合合、聚聚散散，和社会上的人们一样。时为1936年。

② 装满邮包的大帆船即将启程

扬起风帆，驶向远方。时为1936年。

③ 旱班邮差

湖北邮区的旱班邮差行进在江汉平原上，他们不仅爬山，还要肩挑重担涉水，走乡村土路。他们与母亲盼子、妻子想夫的心情一样，尽快把远方的来信送到亲人的手中。此照摄于1920年。

❹ 湖北陆运邮差，肩挑邮包上路

人们称邮递人员为“鸿雁”称其邮递工作为鸿雁传书。早期的邮递全靠肩挑背扛，十分辛苦，可见鸿雁的翅膀是多么地沉重。此照片摄于1936年。

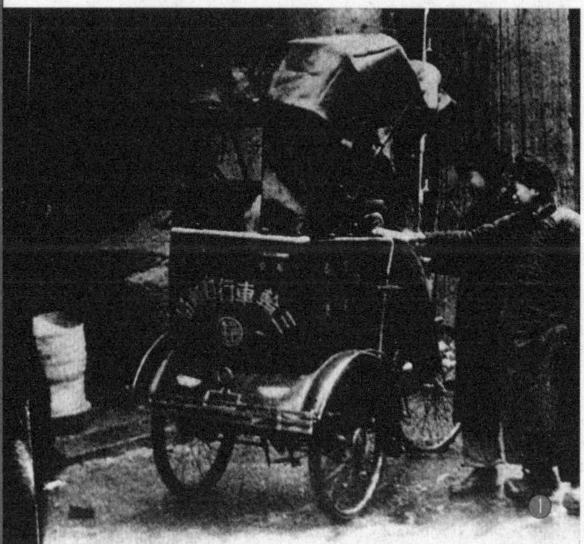

❶ 三轮车行动邮局之一

汉口三轮车行动邮局正在营业，居民们高兴地将信交给邮递员。时为1948年。

❷ 三轮车行动邮局之二

停靠在湖北邮政管理部门前的汉口三轮车行动邮局，将收发信件的事服务到家门口，方便多了。时为1948年。

③ **列车邮政**

平汉铁路上游动的列车停靠在汉口，火车传递信件就快多了。此照摄于1946年。

④ **长江上的邮艇**

“鸿迈”号邮艇行进在长江上。时为1948年。

5. 商　标

商标是商品的标识、身份证。近代湖北与全国一样，生产力水平低，商品化程度不高，因此商标注册少，且注册者大多是烟、酒、糖等日常消费品。我们搜集了一些老商标，从中我们既可窥视湖北近代的商品之一斑，也可看出中国民族工业发展的艰辛历程。

❶ **天生祥金堂雪茄烟商标**

天生祥金堂雪茄烟商标由天生祥烟厂主人唐德培于1932年11月10日申请注册，该厂厂址在宜昌大南门内南正街口。

❷ **罗汉牌雪茄商标**

罗汉牌雪茄商标由天生祥烟厂唐德培于1932年11月10日申请注册，该厂厂址在宜昌大南门内南正街口。

❸ **寿星牌雪茄商标**

寿星牌雪茄注册商标为天生祥烟厂唐德培于1932年11月10日申请注册，该厂厂址在宜昌大南门内南正街口。

❶ 宝驹牌香烟商标

宝驹牌香烟商标，由汉光烟厂的邓华生于1946年10月11日申请注册，并生产销售。厂址在武昌中正路一一七号。

❷ 八角牌吕宋雪茄烟商标

八角牌吕宋雪茄烟，由炳昌祥卷烟厂谢文亭1933年4月12日申请注册，该厂厂址在宜昌南正街。

❸ 百乐香烟商标

百乐(BEAROS)香烟商标为邓华生于1947年10月17日申请注册的，该厂地址在武昌中正路一一四号。

❹ 三星牌香烟商标

三星牌香烟商标为吴恒昌烟厂吴正昶于1947年6月6日申请注册，商标为彩色，该厂厂址在汉阳索河正街。

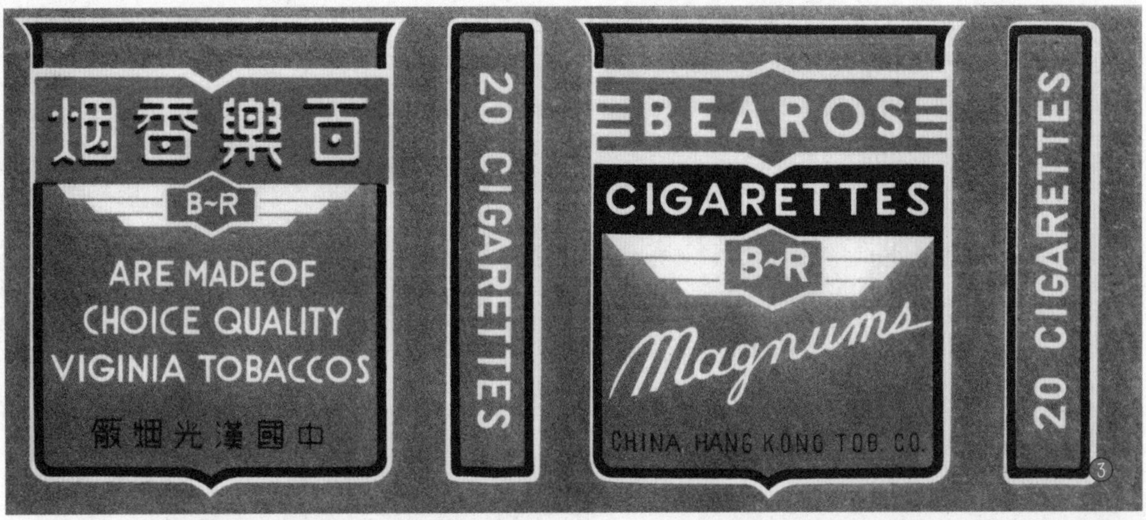
百樂香烟
B~R
ARE MADE OF
CHOICE QUALITY
VIGINIA TOBACCOS
中國漢光烟廠
20 CIGARETTES
BEAROS
CIGARETTES
B~R
Magnums
CHINA HANG KONG TOB. CO.
20 CIGARETTES
③

吳恒昌菸廠出品
三星牌
總經理處
協豐菸號總經理
大號
三星
漢陽南鄉
索河正街
吳恒昌菸廠
本菸廠揀選上等菸葉特聘技師精益求精 諸君賜顧請認大三星牌為記庶不致悞 本主人啟
④

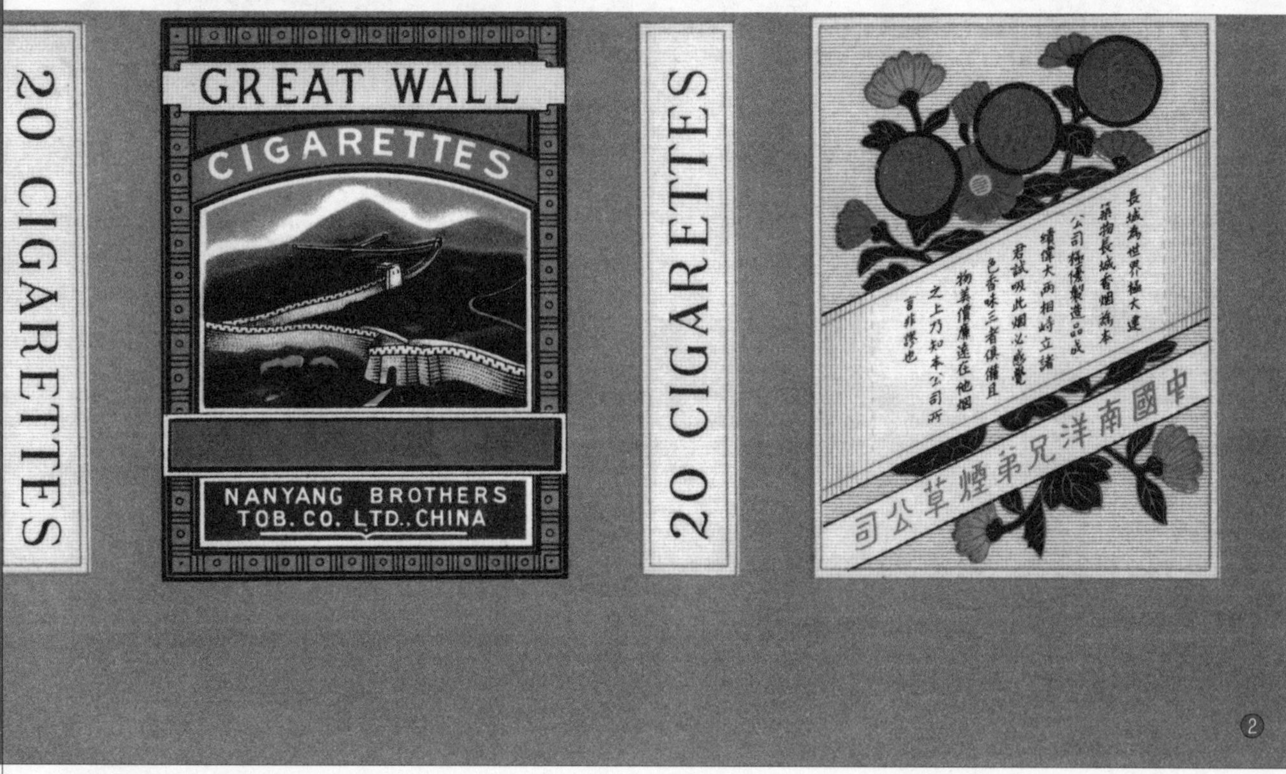

❶ 金箭牌香烟商标

金箭牌香烟商标由中国天益烟厂王承播于1947年8月8日申请注册，彩色图案，该厂厂址在汉口胜利街天钦村3号。

❷ 长城香烟商标

长城香烟商标由南洋兄弟烟草公司汉口分公司于1947年10月11日申请注册，该厂厂址在汉口市中山大道768号。

❸ **红皇后牌香烟商标**

红皇后牌香烟商标由中国大业烟厂陈晨、姚企白（代）于1947年12月4日申请注册，该厂厂址在汉口中山大道同庆里特1号。

❹ **美蝶牌卷烟商标**

美蝶牌卷烟商标由裕顺烟厂周克阶于1947年12月29日申请注册，该厂位于武昌药义路111号。

旧闻

漢口查獲無敵蝶霜冒牌

家庭工業社無敵牌蝶霜，每年銷數超出舶來品之上，品質裝璜，均于國貨界中首屈一指，以致宵小之徒，啓覬覦之心。該社于月初接到荆沙民衆抗日會密報，謂武漢一帶發現僞造蝶霜甚多，并附發售及經銷店號等。該社當即派員赴漢，具呈公安局，派警同至黄陂街華生公司查出僞造無敵牌商標之蝶霜44打，又無敵牌牙粉572包，及蝶霜說明書8000張、賬簿14本，巾折一扣。該店主徐貢忱聞風逃遁，當將其弟徐瑞林帶局詢問。直認私造冒牌不諱，并供出該項商標牙粉袋說明書等，系由漢口李志大印刷所承印。當赴該印刷所搜查，當場抄出僞造商標牙粉袋等多件，并于賬簿內查明代華生公司印五色牙粉袋2令半，約4萬余只，即將店主李某帶局，又代蝴蝶霜紙盒之王同興紙盒店，亦已證實，即將店伙項志久拘獲，一并解送法院，按律嚴懲。其經銷此項冒牌貨品者，亦有二三十家，都在荆沙一帶，批銷最多者，爲謝義盛、白怡隆、協和祥等數家，現正在追究中，按漢口僞造冒牌者甚多，以華生公司爲巨擘，其實品質甚劣，若與真貨一相比較，真僞立刻顯然，徒以廉價欺蒙買主耳。此次除查出無敵牌諸僞品外，尚發現廣生行、大陸藥房、永合實業公司、棕欖公司等數家僞品甚多。

『申報』一九三四年一月一日.

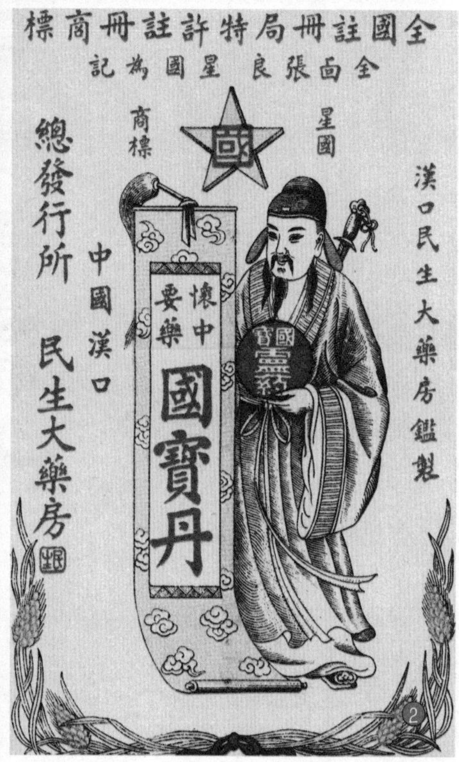

① 金鸡卷烟商标

金鸡卷烟商标由福彩烟厂徐选定于1948年6月30日申请注册，该厂位于沙市和平一街16号。

② 星国牌国宝丹商标

星国牌国宝丹商标由民生大药房王仲南于1936年8月25日申请注册，该药房位于汉口民权路68号。

③ **万能膏商标**

万能膏商标由济世药房杨寿农于1934年1月20日申请注册，该药房位于汉口中山路198号。

❶ 全面苏东坡乘驴金灵丹注册商标

全面苏东坡乘驴金灵丹注册商标为民生药房张丽生于1936年11月10日申请注册，该药房位于汉口民权路68号。

❷ 鹿鹤图形中药商标

鹿鹤图形中药商标为六合公号孙佰文于1937年7月22日申请注册的商标，该商号位于汉口大夹街神农殿内。该商标注册时正值抗战开始，该商标在图案上提出了“提倡国货”的口号，表明了湖北人民高涨的民族热情。

③ 鸡球牌火柴商标

鸡球牌火柴商标为汉口燧华新记火柴厂李荐廷于1947年7月5日申请注册，该厂厂址在汉口硚口仁寿路。

④ 地球牌果子露商标

地球牌果子露商标为大新食品制造厂涂恒中于1947年7月7日申请注册的商标，厂址在汉口利济路3号。

① 玫瑰牌鲜橘汁商标

玫瑰牌鲜橘汁商标由红玫瑰食品制造厂郭意城于1948年11月28日申请注册，该厂厂址在汉口林森路24号。

② "卍"字咖啡茶商标

"卍"字咖啡茶商标为大华行陆德彰于1934年2月27日申请注册，该行行址在汉口河街熊家巷。

③ 得利牌面粉商标

得利牌面粉商标为五丰机器面粉公司姚维章于1930年6月6日申请注册，厂址在汉口宁波里23号。

❹ **聚兴益酒商标**

聚兴益酒商标为聚兴益酒厂冯焕文于1933年2月27日申请注册的商标，该厂厂址在汉口堤口正街。

❺ **丹凤朝阳牌酒商标**

丹凤朝阳牌酒商标为益成汾酒厂方干臣于1934年9月11日申请注册的商标，该厂厂址在汉口汉正街。

❶ 老天成龙凤商标

老天成龙凤商标为驰名商标，曾获巴拿马万国赛会出品得奖。该商标为老天成酒厂刘峰青于1947年8月2日重新申请注册，厂址在汉口汉正街723号。

❷ 铭心衣纽商标

铭心衣纽商标为祥泰工厂曹祥泰于1928年7月4日申请注册，该厂厂址在武昌城内槽坊巷。该商标为不忘国耻而设：1915年初，日本向袁世凯政府提出“二十一条”，同年5月9日，袁世凯准备接受出卖祖国主权利益的条约，激起了大规模的反日爱国运动，并将此日定为国耻日。祥泰工厂从商不忘爱国，将生产的衣纽定名为“铭心”，是有特别纪念意义的。

③ 精心牌袜子商标

精心牌丝纱毛绒男女袜子为经新针织厂于1934年3月30日申请注册的商标，该厂厂址在汉口草纸街151号。

④ 牧牛牌袜子商标

牧牛牌袜子商标为祥记袜厂徐钜川1934年9月14日申请注册的商标，该厂厂址位于汉口黄陂街瞿家巷内。

❶ 三猫牌袜子商标

三猫牌袜子商标为李祥泰针织厂李福棠于1935年3月20日注册的袜子商标，该厂厂址在汉口瞿家巷。

❷ 和合老牌衣服商标

和合老牌衣服商标为熊晋泰号熊明卿于1934年12月28日申请注册的商标，该厂厂址在汉口花布街。

❸ 九星牌火柴商标

九星牌火柴商标为楚胜火柴公司方泽生于1932年5月10日申请注册的商标，该商标后改为众星牌。该厂厂址在汉口河南路如意里301号。

❹ 汉口牌火柴注册商标

汉口牌火柴注册商标为燧华新记火柴制造股份有限公司，于1947年7月28日申请注册，该厂厂址在汉口硚口仁寿路。

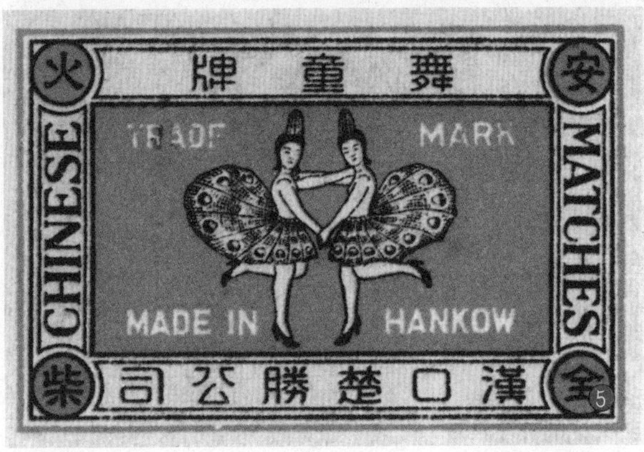

⑤ 舞童牌火柴商标

舞童牌火柴商标为楚胜火柴公司万泽生于1936年4月21日申请注册，该厂厂址在汉口硚口仁寿路。

⑥ 航空牌火柴注册商标

航空牌火柴注册商标为武汉火柴制造股份有限公司熊鲁馨于1948年12月6日申请注册，该厂厂址在汉口汉中胡同义和里1号。该商标时因登记证件及费用不足，暂缓核批。

国中之国　租界立江畔

武汉、沙市、宜昌等地重要的经济、政治、军事战略地位和优越的商业位置，为帝国主义所垂涎。1860年第二次鸦片战争后，清政府在英帝国主义的压迫下，通过中英《北京条约》，开放汉口口岸。次年初，英国参赞巴夏礼与汉阳县议定汉口英租界。1870年，英国又通过中英《烟台条约》，压迫清政府开放宜昌口岸。衅端一开，俄国、法国、日本、德国等纷纷来到湖北，开商埠，设租界。帝国主义列强视长江为内河，其军舰直开到宜昌，在江面上耀武扬威，横冲直撞。租界俨然是外国侵略者在中国领土上的“国中之国”.各租界不仅拥有军队、警察、监狱和法庭等专政机构，还设有征税、市政、教育、卫生、文化管理机关，是军事上侵略、政治上奴役、经济上掠夺、思想上腐蚀中国的堡垒和基地。在租界内，外国巡捕可任意闯入中国人住宅抄家、捕人，而租界如果没有外国人的同意，绝对不让中国人进入。租界像一个个的毒瘤附在中国肌体上，像恶毒的寄生虫吸吮着中国人民的血汗，咀嚼着中国人民的骨肉。1927年1月，在大革命潮流中，武汉国民政府收回了汉口英租界。外国在湖北的其他租界直至抗战胜利后才全部收回。

❶ 汉口的英租界

1861年3月21日，英国侵略者巴夏礼与汉阳知府刘齐衡勘定汉口镇下街尾杨林口上下地区为英国的租界。

❶ 汉口日租界

1895年后，日本通过《马关条约》在汉口长江边霸占了一块地方作为租界。

❷ 汉口江岸边的日租界

到了20世纪二三十年代，日本在汉口的租界已有相当规模，它既是商业中心，也是日本在湖北乃至中南地区的军事、情报中心。随着全面抗战的开始，中国人民在抗战的炮声中将其收回。

③ 汉口英租界警察接受工部局官员检阅

工部局—直译应叫市政厅，实为租界最高权力机关。它既拥有军队、警察、监狱和法庭等专政机构，又拥有征税、审判、管理市政设施和教育卫生等各项功能。工部局的最高权力机关为董事会。租界内的警察由中国人和洋人组成，在维持租界内秩序的同时，经常欺压中国人民。此照摄于1915年11月26日。

❷ 汉口英租界工部局灭火车

租界是外国人在中国土地上生活的天地、社会机构，生活设施一应俱全，这部灭火车即是实例。此照摄于1916年。

❷ 汉口俄租界的巡捕房

巡捕房，就是租界武装驻扎的地方，巡捕是镇压中国人民的鹰犬。这座楼是中国人民受侵略的纪念碑。

❸ 汉口日本租界里的印度巡捕

头上缠着白布、手持警棍的大胡子印度巡捕，在租界里到处可见，上海人称其为红头阿三。他们在租界的主人面前是奴才、打手，在中国人面前又以凶煞星的面目出现。

❶

2

3

❶ 汉口日租界护岸工程
由于日租界位处长江之滨，为使租界不遭洪水威胁，成为其在华中的牢固据点，租界当局在沿江修筑堤防。图为汉口日租界护岸工程中打桩机施工情形。

❷ 护岸工程完竣后情形
日租界的护岸工程完竣后，不仅护岸坚固，而且还修筑有简易码头，上下船十分方便。

③ 横行于长江中的外国军舰
鸦片战争之后，中国有国无防，外国人视长江为其内河。图为辛亥革命时，航行于武汉江面上的外国军舰。

④ 驻汉口外国水兵保护租界
辛亥革命时，租界内的各国水兵全副武装，保护汉口租界。

❶ 德国水兵严阵以待

辛亥革命爆发后，德国水兵在汉口德租界围墙外架起机关枪。

❷ 外国人在租界内隔岸观火

辛亥革命爆发后，租界内的外国人在日本驻汉口领事署房顶观战。

③ 武昌起义时的汉口法租界
辛亥革命时期，法租界构筑屏障，隔绝交通。

④ 英人在租界构筑的工事
辛亥革命时，汉口英兵在租界路口构起防寨以保护其安全。

⑤ 长江上的美租界人员
武昌起义爆发后，汉口美国总领事率领传教士渡江以避战火。

1

2

③

① 日本在沙市的领事馆

图为1937年抗战爆发前的日本沙市领事馆。大屋顶配有环廊，日本在中国的领事馆大都如此。

② 宜昌日本领事馆

日本在宜昌设有领事馆，图为1937年抗战爆发前之日本领事馆工作人员在馆前合影。

③ 各国军舰陈兵武汉江面

北伐战争的节节胜利，使帝国主义列强惶恐不安，纷纷派兵来华，陈兵长江，以示威胁。

❶ 武汉市民悼念“一三”死难同胞暨反英示威大会

1927年1月初，武汉各界举行庆祝国民政府迁都武汉和北伐战争胜利大会。3日下午，中央军事政治学校宣传队在汉口英租界附近的江汉关前演讲。英国水兵登岸干涉，驱逐听讲群众，用刺刀刺死中国海员一人，重伤四五人，轻伤三十余人，制造了汉口一三惨案。惨案发生后，汉口军民极为愤慨。4日，在中国共产党的领导下，武汉工商学各团体举行联席会议，要求国民政府收回英租界和海关，取消英轮在华内河航行权，撤消英人在华领事裁判权等。5日下午，刘少奇、李立三等组织武汉30多万民众举行反英示威大会。图为大会会场。

❷ 江汉关前之武装英军

“一三”惨案发生后，英军在汉口江汉门前筑起工事，戒备森严。

❸ 汉口英租界的武装

全副武装的英军如临大敌。

1

2

3

① 热血青年向群众演说

在冲击英租界的人群中，热血青年赤膊向英兵演说：我等手中虽然无枪，但决不屈服帝国主义的压迫。

② 群众冲进英国人开办的商店，欲捕华人买办

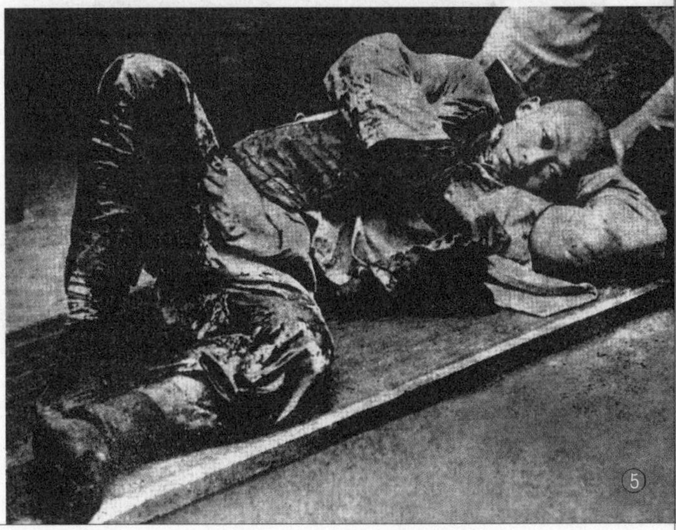

③ 负责收回汉口英租界的武汉国民政府外交部长陈友仁

在中国人民的威慑下，英租界当局被迫将巡捕和军队撤离租界。1927年2月19日，英国与武汉国民政府签定汉案协定，正式将汉口租界交还中国。

④ 北伐军劝说群众离去

武汉国民政府为防事态扩大，决定派军队维护秩序。与此同时，中央临时联席会议决定接管租界，组织英租界管理委员会。

⑤ 汉口四三血案的受伤者

1927年4月3月，汉口日租界一日本水兵乘人力车不付钱，竟将车夫打死，激起公愤，停泊在汉口的日舰闻讯急调水兵200名登岸助暴，开枪打死群众十余人，伤数十人，并将中国群众逐出租界，酿成四三血案。

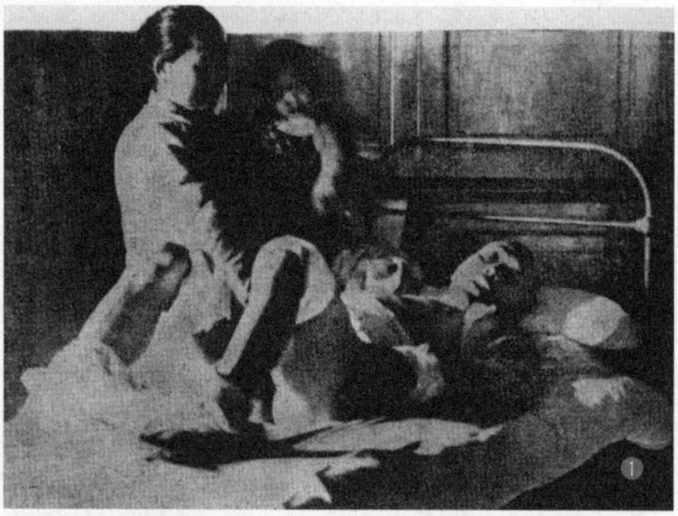

❶ 四三惨案的受伤者与家属

❷ 汉口四三死难烈士悼念大会

四三惨案发生后，武汉国民政府立即向日本提出抗议。图为汉口民众为四三死难者举行追悼大会的场景。

❸ 日军与法军在法租界前互相致意

日本全面侵华战争爆发后，美、英、法等西方大国对日本采取绥靖政策。1938年10月25日日军侵入武汉，法军在租界前列队向日军致意。

❹ 聚集在汉口法租界前的日军

3

4

① 汉口的英商安利洋行

② 汉口顺丰砖茶厂

1863年，俄国商人在汉口设立顺丰砖茶厂，以手工制砖茶。到1865年，俄国商人在汉口一带共有三个砖茶厂。1873年，砖茶厂开始使用蒸汽机生产砖茶。

③ 英商在汉口设立的砖茶厂

该厂设于1872年，是当时中国最大的砖茶厂。

❶ 汉口德华银行大楼

随着租界的建立，外国的商行、银行纷纷进入中国，它们利用中国丰富的资源和廉价的劳动力，开矿山，办工厂，榨取了中国大量的财富，冲击了自给自足的封建经济，也给中国带来了新的生产方式和管理经验。1889年，德国在上海设立德华银行，为德国在华的金融机构。1898年，德国又在汉口租界设立德华银行，该行仅次于在上海的德华银行。

❷ 日本在汉口设立的横滨正金银行分行

❸ 法国在汉口设立的东方汇理银行

❹ 汉口日清汽船支店

湖北河网密布，交通便利，在湖北从事航运业者大多是湖南人，其次是湖北和四川人，日本的航运船只自清末打进湖北后，对中国的航运冲击甚大。

❺ 汉口三菱公司

湖北丰富的棉铁和便利的交通为日本帝国主义所垂涎，图为设于汉口日租界的三菱船舶公司。

❶ 航行汉水上的日船君山号

日航运公司的船舶无孔不入，大型的船只航行于江，小型船只航行于河。

❷ 汉口英美烟公司分厂

烟草牟利十分可观，英、美设立此厂，以无数中国人的健康损失换来滚滚财源。

③ 1930年的江汉关

1862年1月1日，为适应开埠和商务的需要，江汉关于汉口河街（英租界花楼外滨江）正式设立。江汉关税务司由英国人担任，关监督则由中国人担任。该关初辖两关五卡，后随外国势力的不断内侵，管辖范围不断扩大，最盛时管理安徽大通至重庆一线，包括湖北、湖南两省及安徽、江西、四川三省的一部分，其权限也远远超出海关职能范围，兼及监察陆运走私、检查盐务、管辖邮政。武汉沦陷后，江汉关关闭。1945年8月，江汉关恢复对外业务。1949年5月16日武汉解放，由外国人执掌了80多年的江汉关回到人民手中。

①②③ 江汉关1920年时的灯塔及航灯

④⑤ 1938年8月11日，江汉关升旗处附近被日机轰炸惨状

❶ 江面灭火

1946年8月26日，行政院善后救济总署“万川”号轮船失火，江汉关出动“江霆”号帮助灭火。

❷ 1934年的沙市海关总巡公馆

❸ 1935年的沙市海关税务司公馆

4 20世纪30年代的宜昌海关税务司公署

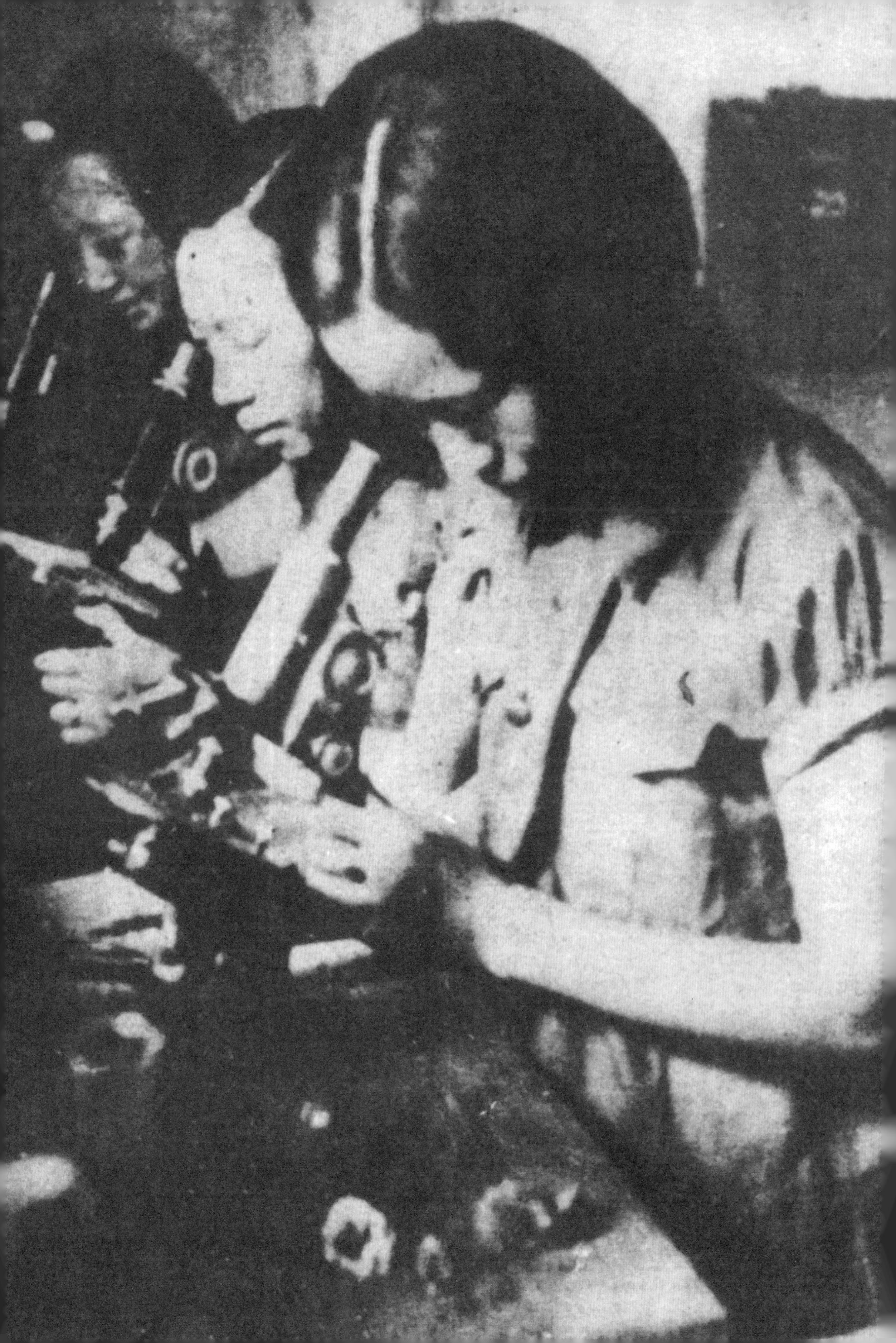

文教兴邦　英才遍神州

唯楚有才，人杰地灵。湖北是楚文化的发祥地，历史上就有重视文化教育的传统。湖北的近代教育是与近代的洋务运动同时开始的，废除科举、兴办学堂、向国外派遣留学生，成为清末民初的一股新潮。新式教育为华中大地吹来了新的革命气息，辛亥革命前夕，湖北的科学补习所、日知会、群治学社、文学社等，不仅仅是革命的组织形式，从名称上足以反映出革命风暴到来之前清新的文化气息。中华民国建立之后，内忧外患连连，灾害频繁，湖北的教育并没有停滞不前，不仅在华中地区，就是在全国也是领先。教育推动着人们投身于民族民主解放运动，教育文化的浸润也促使社会风气的转变，湖北的山水也孕育了一大批在近代中国各个领域独领风骚的风云人物。

湖北旧影

❶ 湖北省西湖师范学堂校景

该校是湖北最早的学堂之一，环境清雅优美。

❶ 湖北师范学堂附属小学的学生

1902年5月，张之洞在武昌城东宾阳门以南老官庙创办湖北师范学堂，因东路小学附属其旁，由师范学主教课，以资实验。

❷ 湖北省南湖初等小学堂学生

③ 1903年留学日本的湖北学生界同仁送同学归国拒俄

④ 拒俄义勇队队长——蓝天蔚

蓝天蔚(1878—1921)，字秀豪，湖北黄陂人。早年赴日留学。1903年4月，留日学生组织拒俄义勇军，被举为队长，尔后加入同盟会。归国后，张之洞任其为新军统带兼湖北将弁高级师范教员，任长沙日知会会员。后赴东北，任东北同盟会支部负责人。历任参谋、协统等职。1911年11月，奉天新军举义，被推为中华民国军政府临时关东大都督。1912年1月，被孙中山委任为关外大都督，率海军攻山东。南北议和后，任北京政府将军府参事、将军。1915年，袁世凯阴谋称帝，回鄂组织反袁。1917年10月南下参加南方军政府，后任鄂西靖国联军总司令。1921年3月牺牲于四川。

❶ 孙中山先生与湖北留学生在一起

1905年4月，孙中山在比利时布鲁赛尔会见湖北留学生。朱和中向孙中山提出了“更换新军脑筋，开通士子知识”的主张，得到孙中山的赞同。经过商谈，孙中山得出“今后将发展革命势力于留学界，留学生之献身革命者，分途作领导之人。”图为孙中山（自右）与魏宸组（江夏人）、胡秉柯（潜江人）、史青和朱和中（建始人）的合影。

② 20世纪30年代的湖北省立图书馆
这座殿堂式建筑可不是衙署。湖北人将图书馆设计成殿堂式，说明了文化在他们心中的地位。

❶ 武汉大学远眺

武汉大学建筑于武昌珞珈山上，距武昌城十数里，出宾阳门，过长春观，越洪山之麓，再数里即至，建筑宏伟美观，踞山瞰湖（东湖），风景极佳。在当时的华中，乃至全国也是鹤立鸡群。

❷ 1931年的武汉大学近景

20世纪30年代前后，武汉大学的建筑几乎是武昌，也可能是整个武汉最漂亮的标志性建筑。

旧闻

武漢學生又遭一劫

學生也是國民，因爲他們讀了些書明了些理。又在少年時代，有勇往的精神，所以歷次救國救民族的運動，都是他們打頭陣做導師。因爲他們這樣，引起了反動派嚴重的注意，甚至誣以種種惡名，甚至用前清所不敢用的殘酷手段來對付他們。

過去的且不談，湖北蕭耀南又下起辣手來。因爲日本出兵滿州，引起了全國民衆救亡的熱動，北京、天津、上海、杭州、廣州，幾乎全國都有了熱烈表示，盛大的集會豈獨湖北，武漢學生因爲在蕭耀南壓迫之下，不能像他處作大規模的運動，已可謂歉了，含忍到了一百分，只派幾個學生分頭到內地去喚醒群衆，這種傳道式的愛國運動，有蕭耀南有何理由，可以禁止，可以逮捕學生，可以將殺戳學生—雖還没有執行，報載則蕭已有決心。

北京、天津、上海等處，也是軍隊林立的地方，民衆對于該問題的游行集會，多没有受像耀南般的壓迫；何况，武漢學生，只是分頭向內地演説，蕭耀南苟不是甘心媚外賣國昏了，斷不至有這種荒謬的行爲。

漢人盡作胡兒語，爭向城頭罵漢人：在前清時，我們一提得這兩語，便會發指目裂，斥爲全無心肝。然而，在現在想來，他們還不過幫人罵自己罷了，却還没有幫人桎梏戕賊自己。年進月新，進步了，會逮捕槍決學生了，蕭蕭南這種威風，施展出來，國民遇着了，作何感想。

『民國日報』一九二六年二月二日。

旧闻

民國白話不許學生讀書

學生請假，校長不許；學生要上課，教職員不到；從前說是不許學生愛國，從后說是不許學生讀書。不許學生愛國，是現在教育家的流行病，不許學生讀書，却是教育家的新發明了。

然而，以比段祺瑞，畢竟又差一點。段祺瑞非但不許學生愛國，并且不許學生活命，教育家無論如何凶，要趕上老段，却還不容易。

『民國日報』一九二六年四月四日

① 30年代初的武汉大学校长王世杰（右）和代校长王星拱

大学者，有大师之谓也，李四光、叶雅各、闻一多、叶圣陶、李达、苏雪林、陈通伯、唐长孺等，还可列一长串如雷贯耳大师的名字，在武大执鞭任教。美轮美奂的校舍，加上这些大师，使武大成为中国大学中璀灿的明珠。

② 武汉大学文学院的学生在听课

❸ 珞珈山下军训忙

全面抗战开始后，珞珈山成为培育抗战战士的大熔炉。“到前线去”、“杀敌报国”成为青年学生最时髦的口号和最实际的行动。图为1938年初珞珈山下军训的阵容。

❹ 女子干部的徒手训练

巾帼不让须眉，看这身手，真有点痛击日寇的架式。

❶ 武昌中华大学校门

武昌中华大学1913年由中华学校改办，1915年正式获北京政府教育部批准，设文、理、商三学院。

❷ 中华大学理化实验室

③ 中华大学校舍一部

④ 中华大学学生军训情形

❶ **武昌华中大学科学馆全景**

私立武昌华中大学于1924年9月由武昌文华大学及武昌博文书院大学部、汉口博学书院大学部合并而成，孟良佐任首任校长，初设文、理两科，并以理科闻名海内外。

❷ **华中大学图书楼**

华中大学图书馆为华中地区设施最完善的图书馆。

③ 华中大学体育馆
体育馆是华中地区唯一完备的室内运动场。

④ 华中大学女生宿舍楼 — 颜哥堂
体育馆是华中地区唯一完备的室内运动场。

⑤ 华中大学男生宿舍楼 — 博学室

旧闻

恩施文化圈

恩施文化陣綫，月來益形整齊。除前已發刊之『楚風』、『湖北論壇』、『湖北青年』、『曉風』、『讀者』等外，近復有艾毓英氏主編之『楚軍』、朱再菴發行之『星溪』，與羅安國氏發行之『沙原文藝叢刊』等三種。『楚軍』系綜合性刊物，注重一般政治論文及其他論文；『星溪』爲此間學校出版，內容側重在學府動態，與學生論壇；『沙原文藝叢刊』，則系純文藝者，內有高樹、黄沙、李金錫、黎楚薰、吕亮耕、蕭蕪、懼砂等人作品，堪稱文藝沙原中之第一朵花。

★ ★ ★

衛真、華山、夏陽三人編輯之『江流文藝』，經數月准備，創刊號已問世，量豐而質佳。有高樹、臧雲遠、衛真、羅翊、蕭蕪等之詩文，聞第二期亦即付排。

★ ★ ★

恩施舞陽壩有一支『文化沙龍』，正居公路之側，房屋狭小緊逼，恰如『鳥籠』。故每當卡車馳過，黄沙蔽天，實有『沙籠』之感。近聞當局以其違反禁設茶館章程，責令休業，然據經常前往品茗之『文化人士』談稱：現仍以『半開門』式營業。此不知竟是『文化』之劫抑『文化之榮』。

中央日報 一九四五年八月二十四日

① 湖北省立教育学校的师生于20世纪30年代的合影

② 童子军露营的帐篷

“九一 八”，是中国人悲惨且屈辱的日子，为了纪念这个耻辱的日子，武汉市当局将江岸一公园更名为“九一八”公园。1934年夏，汉口市私立敦实小学童子军团在此举行露营。

❸ 不买东洋货的演讲

日本的侵略使湖北人民义愤填膺，汉口的中学生站在街道上演讲，劝国人不要买东洋货。此照摄于1931年。

旧闻

恩施文化圈

前新湖北日報副刊與讀者半月刊一場筆戰，不但有了『文化狗』、『文化猫』，還有了『文化娼妓』的名詞出現。聞原因是有某人現今不足三十，而竟于某刊物上連續發表『寫作生活十五年』長文，有人譏曰：從幼稚園到大學畢業，也可以做寫作生活××年。

★ ★ ★

恩施文化界活躍以后，除"湖北論壇』稱有半文言的文章以外，舊文字簡直毫無立足點，近有漢聲詩社成立，系國立湖北師範學院教授張昭繕主編，另武漢『南音』詩社亦在施復社各在武漢日報、新湖北日報發刊，執筆者多爲教授、社會名流、學究等。

★ ★ ★

此間有書店七、八家，但以國民文化供應社之業務爲最發達。每天閱書者甚多，然購者廖廖。一般愛買新書者，輒見新書，欲購無力，每翻閱再三，留連不忍歸去。

★ ★ ★

據某書店經理告筆者，日前購書者大抵如是：公務員買『高考之路』；青年們買性知識書籍，或『西風』，或『啼笑姻緣』；女學生買『北極風情畫』，『塔裏的女人』，『鬼戀』；小朋友買七劍十三俠，羅通掃北，薛仁貴征東。此外，一部分學生買升學指導，一部分學生用二千元買一部『靜靜的頓河』。

中央日報 一九四五年八月二十四日.

❶ 汉口市民祭孔

8月23日是孔子诞辰日，汉口市民到文庙祭祀孔子，儒家文化的香火不断，其原因除了读圣贤书就是祭孔了。此照摄于1934年。

❷ 湖北省立农学院学生在实验室中用显微镜观察。

1940年，湖北省政府在鄂西恩施将省立农业专科学校扩充为省立农学院，倡行教作一致，并指导农民改良农事的实施，增加农产品产量。

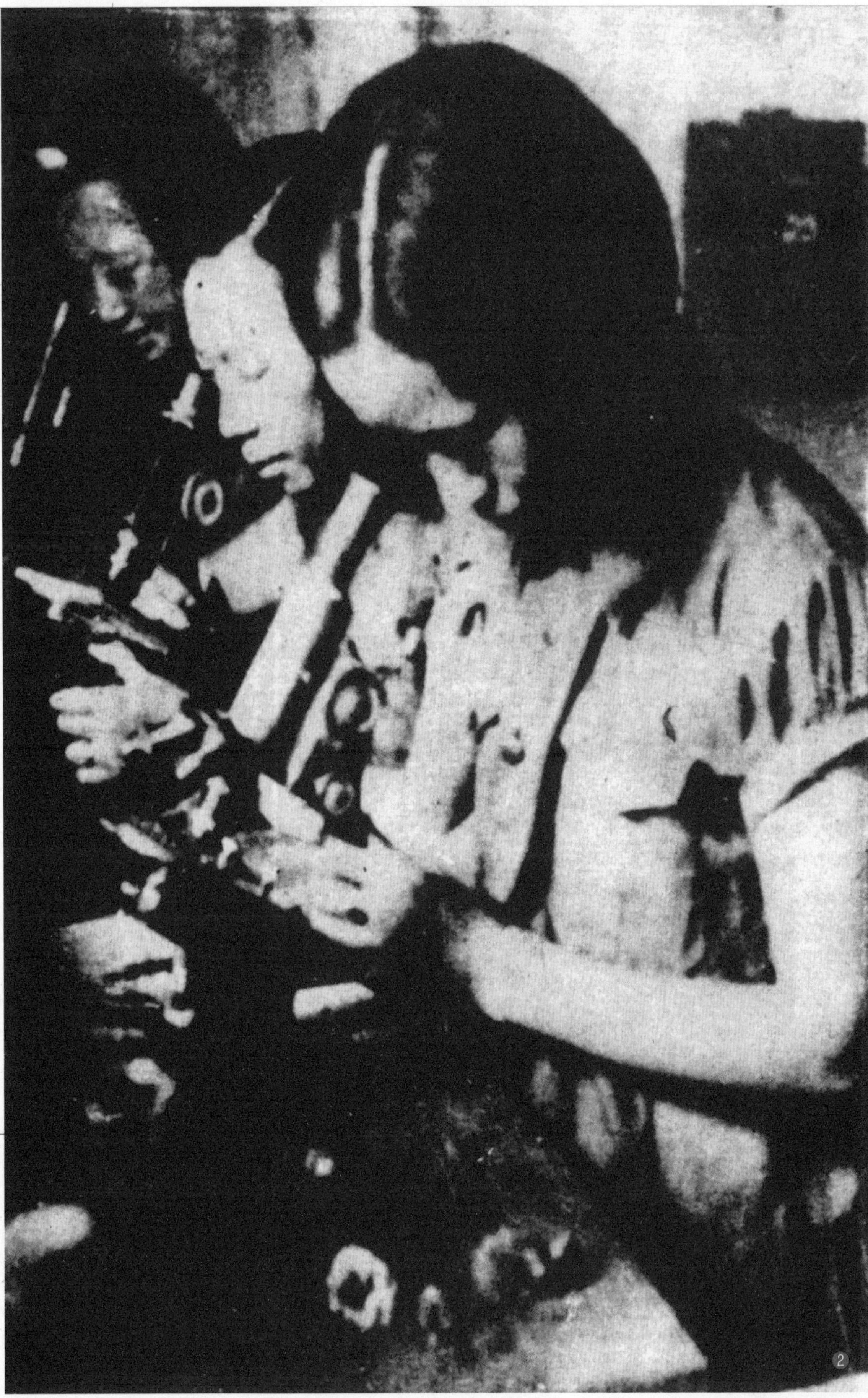
2

❶ 学生农业实践课

农学院的学生在实践中几乎与农民一样，过着日出而作、日落而息的生活。

❷ 学生在蔬菜地除虫

农学院的学生课堂在实验场中，他们在以新法除虫。

❸ 施肥实验

学生在每盆种子中施以不同的肥料，进行施肥实验。

① 农村小学生们自制学习用品

② 村童们集合唱歌

③ 小学生们在阅读室汲取知识营养

④ 学生们正在做早操

⑤ 乡村学生参加农业劳动

⑥ 学生们用所学知识指导村民们疏浚塘渠，以利养鱼和灌溉，增加生产

① 黄冈私立正源中学门景
该中学位于黄冈仓子埠。门前站哨者为该校学生，着童子军服。

② 黄冈私立正源中学初中部

③ 黄冈私立正源中学高中部

④ 湖北黄冈私立正源中学纪念堂
国民党到1946年，各类纪念堂已程式化了。一个中学是这样，一个县党部的纪念堂也大抵如此。

⑤ 襄阳私立岘北初级中学校舍
该中学创设于1915年，1941年与襄阳县立初中合并，遂告停办。1946年又分开独办，此照摄于1946年。

⑥ 湖北黄陂私立储材中学门景(1947年)
该中学原由中华基督教会所创设，前临黄陂北城街，右前临龙潭大湖，右后包城墙，左为大操场，后因故停办，校舍保存完好，1947年申请复校。

⑦ 黄陂私立储材中学校舍之一

5

6

7

❶ 黄陂私立储材中学校舍之二

❷ 黄梅私立胜利中学全景

该中学位于湖北黄梅县小池口。该照片摄于1947年。

③ 中共创始人之一董必武

董必武(1886—1975)，湖北黄安(今红安)人。早年参加辛亥革命，任湖北军政府军政部秘书。后赴日留学，并参加反袁斗争。1920年创办武汉中学，并在武汉成立了共产主义研究小组。1921年7月，参加了中共一大。后历任中共湖北省委委员、国民党中央候补执委、国民党湖北省党部常委、中共中央党校校长、中共南方局副书记、华北人民政府主席等要职。全国解放后，历任最高人民法院院长、全国政协副主席、国家副主席。

④ 中共早期领导人之一恽代英

恽代英(1895—1931)，祖籍江苏武进，生于湖北武昌。毕业于中华大学。五四运动时期，组织武汉学生联合会举行反帝大示威。1919年冬在武汉组织利群书社，宣传马克思主义。1921年7月参加中国共产党。曾任川南师范学校校长、中国社会主义青年团中央宣传部长、上海大学教授、国民党中央执行委员、黄埔军校政治总教官、湖北省政府委员。1930年任上海沪东区行动委员会书记。同年5月被捕。1931年4月29日被国民党杀害于南京狱中。

❶ **著名地质学家李四光**

李四光(1889—1971)，湖北黄冈人。早年留学日本，加入同盟会。武昌起义后任湖北军政府理财部参议、实业部部长、湖北同盟会书记。1913年赴英国留学。获硕士学位。回国后，历任北京大学地质系教授、主任，中央研究院地质研究所所长、院士等。解放后历任中国科学院副院长、古生物研究所所长、地质部部长、全国政协副主席等。图为1934年全家在上海合影。

❷ **著名教育家吴贻芳**

吴贻芳(1893—1985)，原籍浙江杭州，生于武昌。金陵女子大学毕业。1922年赴美留学，获博士学位。回国后，历任金陵女大校长、国民参政会参政员。全国解放后，历任江苏省副省长、全国妇联副主席、民进中央副主席、江苏省政协副主席等职。

③ 著名经济学家、教育家王亚南

王亚南(1901—1969)，湖北黄冈人。1922年考入武汉中华大学教育系，毕业后在武昌成城中学任教。1928年赴日本，研究政治经济学。回国后任教于暨南大学，出版了《经济史》。1934年因参加福建革命政府被通缉，到英国、德国游历。1935年回国后出版了《中国社会经济史纲》，翻译了马克思的《资本论》。后任教于中山大学、厦门大学、清华大学。全国解放后，历任厦门大学校长、福建省政协副主席。

④ 文艺理论家、文学家和诗人胡风

胡风(1902—1985)，本名张光人，湖北蕲春人。1926年由北京大学预科考入清华大学西洋文学系。1929年到日本留学并参加共产党。1933年回国后，任左联宣传部部长、书记。曾主编文学期刊、抗战中任军委会政治部文委会委员。全国解放后，任全国文联委员，1954年受到批判和迫害，被隔离25年。1979年后任全国政协常委、全国艺术研究院顾问。著有《挂剑集》、《文学评论》等。此照1933年初冬摄于上海。

湖北旧影

❶ 现代文学家、诗人闻一多

闻一多(1899—1946)，湖北浠水人。1909年考入武昌两湖师范附属小学。1913年考入清华学校，曾任中央大学、武汉大学、西南联大等中文系主任、教授和多种报刊的编辑，他的外文、美术、中文等都有高深的造诣。1944年参加民主同盟，从事反内战、反独裁的民主斗争。1946年7月15日被国民党特务残酷杀害。他的著述收录于《闻一多全集》中。

❷ 京剧艺术表演家　余叔岩

余叔岩(1890—1943)，艺名小小余三胜，罗田人。自幼爱好京剧，13岁登台，演须生兼武生，致力于武功，拜谭鑫培为师。成名后在京、沪津演出，主要戏目有《打棍出箱》、《打渔杀家》、《击鼓骂曹》等。

鄂西运动会开幕式

1933年11月，鄂西运动会在鄂西宜昌举行。

❶ 参加运动会的军政要员入场

❷ 运动会会场

❸ 业余女子总冠军

❹ 英姿勃勃的华中足球队。
1933年4月，全国足球比赛在武昌举行。湖北组成华中队参赛。图为比赛前的合影。

❺ 由湖北省八中组成的男蓝获得冠军

旧闻

鄂獲華中籃球冠軍

華中五省足籃球賽大會，因皖省足籃球隊經費無着，未能出席外，其余湘、豫、鄂、贛四省均如期趕到。大會昨日下午2時45分于中央信托局籃球場揭開序幕。籃球賽原定有二場比賽，河南省籃球隊因應西安當局之邀，不能如期趕到，決將河南隊對湖南隊之籃球賽延至七日補行。昨日前場爲江西隊對湖北隊，結果湖北隊勝。

2時30分，雙方健兒于鼓掌聲中登場。2時40分，由省府劉秘書行開球禮，由戰利修、趙子和裁判。未1分鐘，江西陣長江單身匹馬深入重地，首開記録。鄂隊不敢后人，奮起直追，由劉瀛奮勇殺入，雖遇贛隊李萍之阻，以鷂子翻身姿勢，托入一球，成二比二。旋贛隊劉德場得李萍之傳球，輕輕投進一球，繼之陳長江又遠射中的，成6:2之比，此爲江西隊全盛時期。鄂隊以連失三城，戚以敵愾同仇之心，誓復失地，由劉瀛單槍匹馬，獨力叩關，托進一球，繼之賈志軍亦遠射中的。陳長江畢竟不弱，于人群中得球后，避開敵人襲擊，從邊綫殺入，輕輕一投又告中的。『球場天下』竟爲鄂隊控制。但江西隊并非弱者，死命衝突。趙大爲以破釜沉舟之志，殺入重圍，投進一球，闞來玢又中球，至此江西隊要求停戰，以便部署。旋江西隊在陳長江指揮之下，大舉進攻。血戰一分鐘鄂隊劉瀛白衣渡江，巧取荊州，陳長江立刻報以顔色，單刀赴宴，奪得二分。此時雙方互不相讓，成拉鋸戰。旋鄂隊賈志軍又增二分，鄂隊居彤犯規，被李萍發中一球鄧濤立刻又增二分，劉瀛又復投中的。贛雖敗不餒，愈挫愈奮，但畢竟命運不佳。此時雙方均存有我無敵之決心，死命血戰。旋江西隊趙大衛犯規，由劉瀛罰中一球，居彤繼之又投中一球。此時鄂隊時來運轉，先由曹志軍投中，繼由劉瀛補中一球，球場天下，以14對25之比結束上半場，湖北隊勝。

易地再戰后，鄂隊劉瀛首開記録，挪中二分，繼以贛隊劉德場犯規，又被居彤罰中一分。贛隊受此挫折后，死命反攻，首由範衛忠投進一球，繼由李萍罰入二球，陳長江又后相繼投入二球，但鄂隊亦改變戰術，以攻爲守，最終獲勝。

『中央日報』一九四七年二月七日.

❶ 横渡长江之前三名

最能体现武汉人勇敢、强健者要数横渡长江比赛。这项体育比赛创设于20世纪30年代初，几乎每年都要举行一次。第二届横渡长江比赛于1935年9月23日举行，由武昌汉阳门至汉口三北公司码头，计4000余米，参加者200余人。图为获得前三名的选手合影。

❷ 横渡长江的冠亚军。

图为1936年8月23日武汉第三届横渡长江比赛的冠(右)亚(左)军获得者。

③ 向横渡长江得奖者颁奖

④ 冠军抵达彼岸

冠军彭华勇抵达对岸，江面上一片喝彩之声。

❶ 汉口团体操表演

1937年6月，汉口举行团体操表演，1500人之方阵整齐划一，气势热烈。

❷ 汉口举行禁烟大会

武汉水陆交通十分便利，清末以来鸦片贸易就十分兴隆，街市烟馆密集如蚁，吸食鸦片曾一度成为时尚。湖广总督林则徐，首先拍案而起，在武汉设禁烟局，展开轰轰烈烈的禁烟活动。随后则有了著名的1839年6月3日虎门销烟。南京国民政府成立后，将6月3日定为“禁烟日”。尽管国民党政权采取“寓禁于征”政策，使鸦片买卖合法化，但每年6月3日所谓“禁烟日”，禁烟的表演还是不能不做的。图为1937年6月3日，汉口举行禁烟纪念大会，市长吴国桢在会上报告之情形。

❸ 1947年6月3日汉口市各界庆祝“六三”禁烟纪念宣传大会主席台

旧闻

鄂省實行禁烟

二十日漢口通信，吾鄂邇年以來，賣鴉片烟已成公開，而市上土棧林立，嚴同正當營業，此外如小烟館及吸户，莫不觸目皆?，較之前清開放時，有過無不及，良田吾鄂擴充軍備、餉糈無着，不得不取給于烟税，以爲鴆酒止渴之計，當此天寒幾暮，而一般誤入歧途者，頓覺感受無窮痛苦，當局殆有鑒于人民之沈淪，霹靂一聲，禁烟之令下矣，鄂蕭忽于十八日下午一時電召警務處長崔振魁到署，諭令將省城烟館土機吸户一律切實查禁，并限三日肅清具報，崔處即電召所屬各署隊長開緊急會議，決定由各署隊長遵照上峰命令克日負責辦理，崔處長并密令須以迅雷不及掩耳之敏捷手腕，立即認真查禁，于是各署隊長遂星夜派出長警分途查拿，一時小烟館多閉門歇業，而零星吸户亦咸有戒心，不似從前之猖狂也，至各公司土棧亦經蕭督辦令飭式漢軍警督察處嚴加取締，一律不准開牌開燈，惟粘貼印花之烟土仍准繼續發售，以固成本，但以陰歷年底爲限，聞當局之所以嚴厲禁烟者，刻因駐漢各國領事，以鄂政府廢弛烟禁提出嚴重交涉，又因駐京代表電告各國調查禁烟委員，業已首途來華，故有此雷厲風行之舉，非徒恃一紙空文敷衍塞責而已。

『民國日報』一九二六年一月二十五日

❶ 汉口市缴获的烟毒、烟具

❷ 汉口市将收缴的毒品和烟具堆在一起展出，即将焚毁

❸ 1948年6月3日汉口各界代表在焚毁的烟毒、烟具前合影

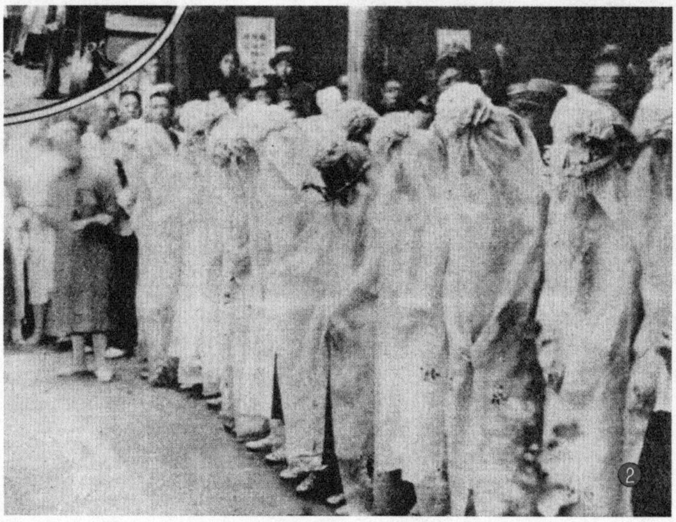

❶ 汉口团体结婚，新人入场

近代以来，西风东渐。举行集体婚礼也成为汉口时髦青年男女追求的时尚。图为1935年11月1日，汉口市举行第一届集体婚礼，新人进入结婚典礼现场。

❷ 集体婚礼上身披婚纱的新娘们

❸ 新娘代表致答词

旧闻

漢口寶善戲院坍倒慘劇

漢口通信：本市中山路寶善堂街寶善大戲院10日忽發生空前慘劇，死傷達七八十人之多。該院地基爲蘇湖公所所有，初爲寶善堂厝所，因市區之內不准停置棺木，由市政府命令拆遷。二十四年十二月(指民國24年，引者注)市民王殿卿承租地基，呈准市府建築戲院，開演漢劇。因營業欠佳，屢演屢輟，本年二月，始由曹春甫等集資恢復，開演楚劇，賣座滿，營業逐遠勝從前。十日狂風怒號，大雨如注，該院仍照常開演，觀衆亦甚擁擠。詎演第一劇未竣，忽轟然一聲，墻壁崩倒，邊座觀衆大多壓于墻下，立時斃命者多名，傷者尤衆。慘劇發生，全場鼎沸，秩序大亂，被践踏傷者，又所在皆是。一時呼兒唤女，覓母尋爺，慘痛之聲，不忍聞聽。該管警察第三分局局長田亞丹聞訊，立率警士多名，馳往救護，并維持治安。經在瓦礫中撬出壓斃男子11名，婦女4口，小女孩2口，共計17人。陳尸院中，有壓成扁形者，有粉骨碎身者，有頭部破損而腦漿溢出者。小孩之尸，更如肉團兩堆，血肉模糊，厥狀極慘，均由漢口地方法院檢驗員程宗道等勘驗，家屬之認尸者，哭聲震天。受傷者，查明約60余人，重傷送醫院診治，輕傷則照料回家，并報告警察總局。督察長王郁芬、科長董克仁臨場查勘，并辦理善后。嗣調查，該院墻壁之倒塌，系受緊鄰蘇湖公所圍墻傾倒之牽制，當局將該院股東曹春甫暨蘇湖公所負責人胡鴻翔帶局詢問。

『申報』一九三七年三月十三日.

❶ 20世纪初建于谷城县沈家垭子的天主教堂

❷ 汉口同仁医院

由美、法、俄国合办，1911年设立。

❸ 宜昌罗马教会堂

1920年的宜昌罗马教会堂，这个舶来的洋房子在当时的宜昌如鹤立鸡群。

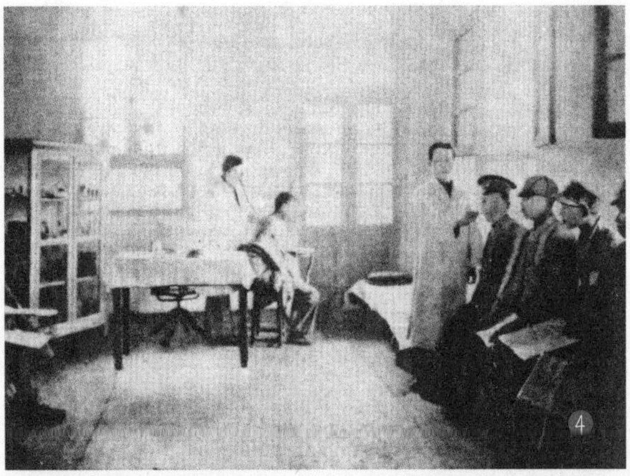

④ 汉口后方医院内科诊治病兵情形

⑤ 湖北省中州会馆执行委员会全体委员摄影

湖北老乡走四方。为方便本省寄居全国各地人的从业活动，联络乡谊，湖北在各地设立了不少会馆。图为1930年8月5日中州（河南）会馆全体执行委员合影。

⑥ 1947年8月15日，荆门卫生院全体同人合影

⑦ 参加国民党政府立宪“国大”的汉口代表合影

(鄂)新登字 02 号

图书出版编目(CIP)数据

湖北旧影 / 中国第二历史档案馆编. — 武汉：湖北教育出版社，2001
ISBN 7-5351-2954-4
Ⅰ. 湖… Ⅱ. 中… Ⅲ. 湖北省 — 地方史 — 1901 ~ 1949 — 图集
Ⅳ. K296.3-64

中国版本图书馆 CIP 数据核字(2001)第 026844 号

出版发行 湖北教育出版社
地址 武汉市青年路 277 号
电话 027-83619605
邮编 430015
网址 http://www.hbedup.com
经销 新 华 书 店
制作 武汉大海岸设计制作有限公司
印刷 精一印刷（深圳）有限公司
地址 广东省深圳市罗湖区太白路 3013 号

开本 880mm × 1230mm 1/16
印张 22.25 印张 4 插页
版次 2001 年 9 月第 1 版 2001 年 9 月第 1 次印刷
印数 1-2000
书号 ISBN 7-5351-2954-4/K · 81
定价 260.00 元
（如印刷、装订影响阅读，承印厂为你调换）